ENJEUX ÉTHIQUES CONTEMPORAINS

Collection dirigée par Jean-Pierre Béland et Johane Patenaude

Cette collection traite de questions et d'enjeux éthiques et les inscrit dans un dialogue ouvert, pluraliste et interdisciplinaire. Les textes sont destinés à un large public dans le but de faire avancer la réflexion sur ces enjeux et ainsi contribuer à la prise de décisions socialement acceptables sur chacun des sujets traités.

La souffrance des soignants

Sous la direction de
Jean-Pierre Béland

La souffrance des soignants

Les Presses de l'Université Laval

Les Presses de l'Université Laval reçoivent chaque année du Conseil des Arts du Canada et de la Société de développement des entreprises culturelles du Québec une aide financière pour l'ensemble de leur programme de publication.

Nous reconnaissons l'aide financière du gouvernement du Canada par l'entremise de son Programme d'aide au développement de l'industrie de l'édition (PADIÉ) pour nos activités d'édition.

Mise en pages: Hélène Saillant
Maquette de couverture: Laurie Patry

© Les Presses de l'Université Laval 2009
Tous droits réservés. Imprimé au Canada
Dépôt légal 4e trimestre 2009
ISBN 978-2-7637-8910-1

Les Presses de l'Université Laval
Pavillon Maurice-Pollack, bureau 3103
2305, rue de l'Université
Université Laval
Québec (Québec)
G1V 0A6
www.pulaval.com

Table des matières

Préface

Comme l'ouvrage précédent, *Mourir dans la dignité ? Soins palliatifs ou suicide assisté, un choix de société*, publié en mai 2008, ce nouveau recueil intitulé *La souffrance des soignants* répond à un besoin réel, celui de s'adresser, sans détour, à la sensibilité humaine et profonde concernant un sujet généralement occulté, contourné, quand ce n'est pas tout simplement refoulé ou nié. Dans le travail quotidien avec les collègues, notre agir professionnel est fondé presque exclusivement sur le rationnel et la performance. Cela laisse peu de place à l'expression des émotions, qui sont pourtant le moteur de notre motivation. En réalité, dans l'actuel contexte socio-économique, bien souvent, seules celles de débordement finissent par éclater au grand jour. Il est alors généralement trop tard, c'est la colère, le désarroi ou l'épuisement professionnel pour les travailleurs de la santé.

À la fin d'octobre 2008, le colloque *La souffrance des soignants : exprimer ou réprimer ?*, organisé conjointement par le Comité régional de bioéthique (CRB) du Saguenay–Lac-Saint-Jean et l'Université du Québec à Chicoutimi (UQAC), nous a permis de constater combien le silence pèse lourd sur la santé physique et mentale des soignants et combien l'expression de cette souffrance est vitale tant pour chaque soignant que pour chaque soigné. En somme, au terme de ce colloque, plus de 150 participants (des soignants, la plupart du milieu de la santé et des services sociaux) confirmaient que nombre des difficultés vécues au travail résultaient de la répression intérieure de cette souffrance. Que faire pour redonner un visage humain au travail ? Actuellement, il faut, jusqu'à un certain point, nager à contre-courant dans notre culture du silence.

Le colloque a, en quelque sorte, fait écho à ce désir d'expression chez les participants qui ont finalement demandé aux conférenciers d'aller plus loin dans la voie du dialogue éthique en produisant le présent recueil. À l'évidence, nous avons tous besoin d'un certain apprentissage pour exprimer nos souffrances et un groupe de dialogue au travail constitue un outil de choix pour y parvenir. L'importance du sujet mérite que nous considérions sérieusement la possibilité de donner suite au colloque en exposant en langage clair, accessible à tous, les conceptions, les buts et les limites de l'expression de la souffrance par le dialogue dans une perspective de formation à l'éthique. Il nous faut donc répondre à cette réelle nécessité de formation initiale ou continue pour ouvrir des espaces de dialogue dans les divers milieux de la santé, ainsi qu'exprimé par plusieurs participants.

Nous voyons dans la présente publication l'occasion pour d'autres personnes de s'approprier cette matière pour commencer, comme nous, à mieux la comprendre et à en parler.

Denis Bonneville, président
Comité régional de bioéthique
Saguenay–Lac-Saint-Jean

Introduction

N'est-il pas paradoxal de parler de la souffrance des soignants plutôt que de celle des soignés ? Cet ouvrage, *La souffrance des soignants*, paraîtra peut-être inusité à certains lecteurs. Cependant, il répond à une réalité profondément vécue par les soignants (médecins, infirmiers, travailleurs sociaux et autres intervenants) dans le milieu de la santé et des services sociaux. Cette constatation a été corroborée par les membres du Comité régional de bioéthique (CRB) du Saguenay–Lac-Saint-Jean.

Une première discussion au sein du CRB a, de prime abord, fait ressortir qu'il s'agit d'une souffrance éthique. Dans le contexte du travail en milieu de santé, les soignants éprouvent une souffrance de la culpabilité face à l'impossibilité d'atteindre l'idéal thérapeutique du soin qui concerne l'ensemble des actions et pratiques destinées à guérir, à traiter et à soulager les soignés. Loin d'avoir reçu la formation nécessaire pour faire face à cette souffrance éthique, le soignant a plutôt été amené à faire sienne des valeurs collectives (dignité, autonomie, solidarité, justice) que comporte cet idéal. Des valeurs qui demeurent bien théoriques dans les déclarations ministérielles ou les directives des conseils d'administration, ou dans les cours de déontologie car, dans les faits, elles sont niées par les conditions peu favorables à leur réalisation sur le terrain de la pratique. D'un côté, le soignant est soumis à un idéal d'humanisation des soins et des services qui fait partie de l'éthique propre à sa fonction de soignant ; de l'autre, il est renvoyé à la dure réalité du travail des soignants qui se trouvent contraints bien malgré eux à déshumaniser le soigné (par exemple, le soignant risque de voir le soigné comme *objet* de soin). Il est facile de comprendre que cet écart entre l'idéal d'humanisation des soins et la réalité de la pratique génère de la souffrance chez le soignant.

On peut aussi envisager qu'après un certain temps, cette souffrance de l'impuissance à atteindre cet idéal thérapeutique du soin puisse envahir le soignant. Cette souffrance va jusqu'à l'épuisement professionnel si le soignant qui la porte ne se libère pas de l'exigence d'atteindre cet idéal. Par exemple, il est plus que probable que l'idéal éthique du soin se transforme en *utopie*, comme une vue politique ou sociale qui ne tient pas compte de la réalité. C'est alors qu'une lutte contre les empêchements ou les contraintes de la réalité du travail risque de s'installer qui pour les uns sera projective et pour les autres introjective. Dans la forme projective, l'indignation chez le soignant est au premier rang et souvent celui-ci considère que ceux qui freinent ce qu'il juge souhaitable sont tous coupables. Mais cette souffrance de l'indignation est-elle moins inquiétante que celle se traduisant par un sentiment d'impuissance qui mène directement vers ce qu'il est convenu d'appeler l'épuisement professionnel ? Dans cette souffrance, la personne soignante, tout en étant consciente des contraintes en cause et en dépit de ce que celles-ci peuvent représenter de négatif, tente désespérément d'avoir un agir professionnel conforme à l'exigence implicite d'humaniser les soins offerts au soigné. N'y parvenant pas, elle s'en attribue la responsabilité et peut se blâmer devant

- une souffrance de l'impuissance et de la désillusion face à la mort des soignés (par exemple, en gériatrie ou en soins palliatifs, les soignants sont souvent déçus face aux soignés qu'ils ne peuvent pas guérir) ;

- une souffrance de l'impuissance et de la perte de sens face aux conflits de valeurs ou dilemmes éthiques en milieu de travail (par exemple, les moyens mis en pratique pour favoriser le don et la transplantation d'organes en contexte de pénurie ne permet pas de répondre aux besoins des patients en attente de greffe) ;
- une souffrance de l'impuissance et de la perte de son sentiment d'identité personnelle lorsque le soignant s'identifie lui-même à ce même idéal d'un métier associé à l'acte de soigner qui s'effrite en désillusion.

Devant une telle souffrance de l'impuissance, il peut arriver que le soignant démissionne et que la maladie s'installe. « Le soignant ne pouvant plus soigner, il doit alors changer de rôle et devenir à son tour un soigné[1]. »

Tout soignant souffrant qui ne veut pas se laisser envahir jusqu'à l'épuisement professionnel ou se désengager (démissionner) se confronte alors à une question fondamentale : « Comment sortir de cette souffrance ? » Deux voies complémentaires entrent en tension : *réprimer* sa souffrance en la vouant au silence et *exprimer* sa souffrance en la partageant avec d'autres soignants par le dialogue pour construire un nouveau sens de l'agir professionnel (le sens du prendre soin).

C'est donc dans cette perspective que l'Université du Québec à Chicoutimi, en collaboration avec le CRB, a organisé un colloque sur le sujet en octobre 2008. Le présent recueil reflète l'essentiel des communications qui y ont été faites.

---

1. Cécile Lambert et Danièle Blondeau (1999), « Chemins et impasses du jugement clinique au quotidien », dans Jean-François Malherbe (dir.), *Compromis, dilemmes et paradoxes en éthique clinique*, Catalyses Artel-Fides, p. 57.

La première contribution, celle de Jean-Pierre Béland, professeur en éthique au Département des sciences humaines de l'UQAC, démontre l'importance d'un choix éclairé en faveur du dialogue pour atténuer la souffrance du soignant. Il précise la nature de la «souffrance du soignant» pour faciliter une meilleure compréhension du problème ainsi que la nature du dialogue tout en invitant les institutions à libérer les soignants pour les former au dialogue.

Le deuxième chapitre, celui de Danielle Poirier, professeure en sciences infirmières au Département des sciences humaines de l'UQAC, invite le lecteur à se questionner et à enrichir sa réflexion sur la souffrance des infirmières. Elle relate d'abord son expérience d'infirmière dans un contexte de travail déshumanisant. Elle présente par la suite quelques observations personnelles, documentées par des auteurs et des confidences d'infirmières. Finalement, elle propose un moyen permettant de mieux exprimer la souffrance en milieu de travail, à savoir le dialogue réflexif.

Le troisième chapitre, celui de Louis Trudel *et al.*, professeur au Département de réadaptation de la Faculté de médecine de l'Université Laval, expose les résultats d'une recherche-action sur les multiples causes interactives de la détresse psychologique des travailleurs. Le modèle qui en est issu montre que cette souffrance peut être induite par des contraintes dans l'environnement psychosocial des travailleurs. Il rappelle, en conclusion, que l'agir communicationnel (le dialogue) leur permet de faire face à leur souffrance.

Dans un quatrième et dernier chapitre, Georges-A. Legault, professeur à la Faculté de droit de l'Université de Sherbrooke, répond à la nécessité philosophique de prendre une distance critique face aux difficultés rencontrées par les soignants dans la pratique du dialogue. Il en approfondit la notion pour faire ressortir les exigences de ce mode de communication. Même si le dialogue complètement réussi est un événement exceptionnel, Legault rappelle qu'il vaut toujours la peine de l'amorcer dans le respect de certaines contraintes afin d'en assurer une meilleure qualité.

Ce livre contribuera certainement à enrichir la réflexion et le débat sur la souffrance des soignants, et sur le besoin de l'exprimer. L'« espace de dialogue » en milieu de travail se fonde sur la solidarité et sur la dignité des soignants qui souffrent de sa déshumanisation.

Jean-Pierre Béland,
professeur en éthique, Université du Québec à Chicoutimi

Chapitre 1

L'importance d'un choix éclairé en faveur du dialogue pour atténuer la souffrance du soignant

Jean-Pierre Béland, professeur en éthique,
Université du Québec à Chicoutimi

Depuis une vingtaine d'années, au Québec et en France, des études visent à mieux faire comprendre les causes de la détresse psychologique et de l'épuisement professionnel des soignants. Surgit donc la question de savoir comment faire face à cette souffrance. Des ouvrages récents montrent que des chercheurs ont choisi de laisser parler les travailleurs sociaux, les médecins et les infirmières qu'ils ont rencontrés et réunis en groupe de discussion pour favoriser une prise de conscience des sources communes des malaises éprouvés individuellement. Plusieurs de ces malaises se caractérisent par une souffrance morale face à des problèmes d'éthique non résolus. Et la multiplication des lieux de dialogue paraît à court terme comme étant le premier moyen collectif d'apporter le changement souhaité[1].

Comment donc favoriser un choix éclairé en faveur de l'éthique du dialogue en milieu de travail afin d'aider les soignants, les gestionnaires et tous les autres acteurs à exprimer leur souffrance pour y trouver des solutions ? La littérature abonde dans les façons de développer le dialogue comme compétence éthique dans les professions de la santé, en guidant l'action quotidienne lorsque des situations particulières et inédites se présentent. Cette éthique clinique se distingue de la déontologie professionnelle ou de la biomorale qui se réduit soit à un catalogue de bonnes conduites, soit à l'expression d'un ensemble d'obligations, soit à des stratégies d'application de principes ou de règles dont l'intérêt se résume à se protéger des sanctions.

Dans le contexte du dialogue, les soignants témoignent toutefois de leur difficulté à exprimer leur souffrance et même à manifester de l'empathie envers l'autre qui l'exprime. Plusieurs préfèrent l'isolement professionnel et le silence, puisque ces défenses comportent des aspects protecteurs : elles mettent à l'abri des regards et protègent de la critique de l'autre et de son jugement. Cette situation vaut tout autant pour le monde des gestionnaires et des médecins que pour celui des soignants infirmiers. À cette situation complexe s'ajoute le problème des choix à faire entre les décisions déontologiques qui incitent au silence du devoir et les décisions éthiques basées sur le dialogue pour résoudre les problèmes éthiques qui créent un malaise chez les soignants.

Dans le cadre du colloque intitulé *La souffrance des soignants : exprimer ou réprimer ?*, quel compromis pourrions-nous

---

1. On pourra lire à ce sujet le rapport d'enquête de psychodynamique du travail de Marie-France Maranda, Marc André Gilbert, Louise Saint-Arnaud et Michel Vézina (2006), *La détresse des médecins : un appel au changement*, Québec, Les Presses de l'Université Laval. On pourra lire aussi l'étude de Armelle de Bouvet et Monique Sauvaige (dir.) (2005), *Penser autrement la pratique infirmière. Pour une créativité éthique*, Bruxelles, Éditions De Boeck Université. Notre traitement des sections ayant trait à la souffrance morale des soignants est beaucoup redevable à ces deux ouvrages.

élaborer ensemble? D'entrée de jeu, les participants sont placés devant deux attitudes contradictoires: A) ou bien le soignant opte pour *réprimer* sa souffrance (par exemple, en la refoulant dans le silence du devoir); B) ou bien le soignant opte pour *exprimer* sa souffrance (par exemple, en la partageant avec d'autres soignants et gestionnaires dans la pratique du dialogue pour coopérer à l'élaboration d'une solution). Ces deux options ne constituent pas des réalités antagonistes mais des moments, des aspects d'une même dynamique éthique dans un contexte de dialogue. Comment dès lors argumenter en faveur d'un choix éclairé pour que les soignants et les gestionnaires favorisent le dialogue comme moyen pour solutionner leur problème de souffrance dans leur environnement professionnel?

L'objectif du propos qui suit est de faire comprendre l'importance d'un choix éclairé en faveur du dialogue comme compromis. C'est sans doute lorsque la solution au problème est coélaborée par les soignants que ceux-ci sont beaucoup plus motivés à la réaliser d'une façon responsable, ce qui a pour effet d'alléger leur souffrance. Il est plus facile de donner suite à une telle décision participative que de se cantonner dans un rôle de pur exécutant.

C'est dans cette perspective qu'il est apparu pertinent de favoriser un choix éclairé en faveur du dialogue à partir des quatre objectifs qui déterminent le plan de l'exposé:

- préciser au préalable le sens du concept fondamental «souffrance du soignant» pour favoriser une meilleure compréhension du problème;
- déterminer le mode de «dialogue» pour éviter tout malentendu;
- encourager la «formation» des soignants au dialogue;
- établir les «raisons» qui sous-tendent la liberté de choix éclairé, c'est-à-dire faire la liste de celles qui expliquent pourquoi les institutions devraient facili-

ter les moyens pour que l'expression de la souffrance des soignants soit possible dans un dialogue.

La « souffrance du soignant » en milieu de santé

Qu'est-ce au juste que cette souffrance qui est difficile à exprimer ou qu'on ne veut pas trop entendre ? Il est vraisemblable que bien des personnes, tant externes qu'internes au milieu professionnel, ne sont pas toujours familières avec les expressions (peut-être consacrées) teles que « la détresse des soignants », « la souffrance des soignants », « ce qui fait souffrir les soignants » dans le domaine clinique. Pour certaines, il s'agirait d'expressions à la syndicale, qui accentuent l'apitoiement et le dolorisme. Ne serait-il pas préférable d'utiliser un autre vocabulaire qui exprimerait la même réalité, mais sans attirer la pitié ?

D'entrée de jeu, précisons qu'il s'agit d'une souffrance qui s'enracine dans la conscience bouleversée par des problèmes éthiques qui minent le moral. Armelle de Bouvet et Monique Sauvaige, dans *Penser autrement la pratique infirmière. Pour une créativité éthique*, ont exprimé cette souffrance morale en termes de conscience d'un « écart culpabilisant » entre l'idéal éthique de soins transmis par l'histoire de la profession et les réalités du métier. Cet écart se décrit avec les mots suivants :

- « Une identité professionnelle introuvable, un idéal inapplicable » ;
- « Le patient trop souvent réduit à l'état d'objet », selon un modèle de pensée technoscientifique ;
- « Entre médecins et infirmières, une conjugalité obligée mais trop souvent impossible » ;
- « La soumission aux exigences administratives » qui imposent une surcharge de travail : « exigence de rentabilité de l'hôpital-entreprise » ; « exigence de qualité de plus en plus grande et absence de moyens correspondants » ; « dysfonctionnement de l'ensemble du système de santé » ;

- « Un exercice professionnel plus difficile qu'auparavant » en raison de « patients plus exigeants » ;
- « Nécessité de temps pour offrir des soins de qualité » ;
- « Manque de moyens de prendre le temps avec les patients »[2].

Les médecins aussi supportent en silence de telles difficultés que les infirmières et autres soignants (psychologues, travailleurs sociaux) rencontrent dans leur pratique quotidienne lorsqu'ils entendent la vivre de façon éthique. Pourquoi le silence ? Parce que les médecins ont un code de déontologie qui les oblige à se taire face aux problèmes vécus. L'étude *La détresse des médecins : un appel au changement* a justement fait découvrir que s'ils souffrent moralement d'un tel écart culpabilisant sans pouvoir vraiment l'exprimer, c'est que leur conscience professionnelle est très élevée : « Si les médecins ont trop de conscience, ils sont malheureux. » Les chercheurs s'expliquent en disant :

> Anciennement, et encore aujourd'hui, la profession médicale comportait un code d'honneur qui reposait sur l'éthique et qui concernait les principes de la morale, rappelons-le. Or, les médecins constatent une dégradation de la qualité du système de santé qui mine leur moral. Ils ont honte de cette médecine à la « McDonald » (sans rendez-vous) qui se déploie et qui met en veilleuse la médecine préventive, curative et réadaptative pour laquelle ils ont été formés. Ils ont honte de refuser des patients qui ont besoin de soins urgents, non pas dans six mois, mais maintenant.
>
> Mais contrairement aux deux autres idéaux, il n'existe pas de collectif professionnel qui protège l'idéal vocationnel et l'éthique sous-jacente : ce qui renvoie les médecins dans le « chacun pour soi » et dans l'isolement. Or, ce qui est pernicieux, et qui explique la culpabilité et le silence, c'est que ce système repose sur la conscience professionnelle de chacun pour faire marcher la machine. Ils ont été choisis pour cela, pour leurs qualités personnelles : l'autonomie, le sens des responsabilités, la résistance au stress, la polyvalence, la discrétion, etc. Les médecins sont laissés seuls avec leur conscience ; c'est même une caractéristique du métier.

2. De Bouvet et Sauvaige, *op. cit.*, p. 2-25.

En d'autres mots, c'est leur conscience professionnelle qui les rend malades… La sensibilité de ces médecins, trait de personnalité et trait professionnel recherché, fait d'eux des sujets à risque dans un contexte de travail pressurisant et abusif. Quel paradoxe ? Quel désenchantement pour ceux et celles qui ne sont pas résolus à se fabriquer une carapace qui aurait pour fonction de les désensibiliser[3].

Mais comment se fait-il que ce silence des médecins perdure et les empêche de dénoncer cette situation paradoxale qui fait que l'éthique clinique de l'humanisation des soins manque de prise sur la réalité de l'hôpital ? Voici le diagnostic que l'éthicien pourrait faire lorsque les médecins et les soignants parlent de leur isolement, de l'absence de solidarité dans la profession et, par conséquent, du peu d'espoir qu'ils nourrissent face à celle-ci. La déception, la détresse et la culpabilité qui se vivent en « mode endurance » par les soignants s'enracinent dans leur conscience morale, qui comporte deux injonctions contradictoires formant un paradoxe :

- d'un côté, cette conscience dicte au soignant de respecter l'idéal éthique du soin (par exemple, la valeur de la dignité humaine qui inspire l'exigence d'humanisation des soins et des services) ;
- de l'autre côté, cette conscience comporte sa propre contradiction en l'avertissant implicitement que si la réalité de sa pratique contredit cet idéal, il est coupable et qu'au lieu de se lamenter sur son sort, il doit agir en « mode endurance » pour atteindre malgré tout cet idéal impossible à atteindre.

La mission des éthiciens est d'aider les médecins à verbaliser ce paradoxe qui joue un rôle dans la dynamique de la conscience coupable et du silence qui semble le lot du plus grand nombre des soignants quand le système va mal. À cela s'ajoute la gêne de se plaindre lorsque la population vit des situations pires que la leur. La dignité du soignant commande alors une sorte de pudeur : celle de ne pas ternir l'image idéale de la réputation d'une profession prestigieuse,

3. Maranda, Gilbert, Saint-Arnaud et Vézina, *op. cit.*, p. 67-68.

pourtant fortement en détresse. C'est ainsi que la culpabilité et le silence du devoir s'imposent chez les soignants, ayant pour effet de les mettre, le plus souvent à leur insu, en situation de détresse et de dénégation de leur mal-être jusqu'à l'épuisement, qu'on dit professionnel. Mais ce silence, c'est la dénégation de leur souffrance, la rationalisation du refus de la voir.

Cette situation paradoxale de la conscience morale est pathogène en ce sens qu'elle peut causer une maladie ou, encore, un trouble mental ou une attitude anormale de répression en éthique clinique. Si seulement les soignants (médecins et infirmières), plutôt que de se réfugier dans le silence du devoir, pouvaient comprendre qu'un minimum de dialogue éthique bien mené pourrait leur permettre de sortir de cet état complexe qui engendre des problèmes de santé. Mais le paradoxe dans lequel ils sont enfermés les voue au silence du devoir, de telle sorte qu'ils accélèrent la cadence au travail, jusqu'à la surcharge. Ils risquent souvent de réduire le patient au silence du devoir. Le médecin Richard Baron, dans un article célèbre des *Annals of Internal Medicine*, a formulé et présenté ce problème du paradoxe dans le contexte de la relation soignant-soigné en faisant appel à la **métaphore du stéthoscope**:

> L'autre matin, en faisant mes visites, j'auscultais un malade quand, comme c'est souvent le cas, celui-ci se mit à me poser une question. «Silence», dis-je. Je ne peux vous entendre pendant que j'écoute[4].

Derrière un tel silence, il y a tension, contradiction et ambiguïté de telle façon que la situation paradoxale semble sans issue possible. Il faudrait effectuer un «recadrage» par le dialogue pour s'en sortir.

Mais n'y a-t-il que cela qui fait problème? Nous nous sommes rendu compte assez rapidement en éthique clinique que le paradoxe n'est pas la seule forme de difficulté qui fait souffrir. Il existe également des situations dans lesquelles

---

4. Richard Baron (1985), «An Introduction to Medical Phenomenology: I Can't Hear You While I'm Listening», *Annals of Internal Medicine*, 103, p. 606-611.

il faut trancher. Par exemple, en situation de fin de vie : « soins palliatifs ou suicide assisté ? » Ce dilemme peut mettre le soignant dans l'embarras et l'inconfort face au soigné qui demande de l'aide pour mourir dans la dignité. « Faut-il aussi respecter la volonté du malade qui demande l'euthanasie pour échapper à ses tortures ou le laisser souffrir au nom du respect de la vie ? À quel moment l'action thérapeutique intensive devient-elle acharnement thérapeutique, qui cesse de respecter la souffrance pour ne respecter que la vie brute ? Les soins palliatifs aux mourants permettent-ils de dépasser l'alternative[5] ? » Il s'agit-là d'une situation d'impasse. En vérité, le médecin n'a pas le choix parce que le suicide assisté et l'euthanasie lui sont interdits par la déontologie et le droit. Face à la crainte de l'erreur médicale, il y a aussi celle d'un blâme professionnel, celle de la sanction par les pairs et, à la limite, une possibilité de radiation devant les tribunaux de droit commun. Mais beaucoup de médecins et de soignants ne voudraient pas appeler « dignité » une pratique de bienfaisance lorsque le patient voit le prolongement de son agonie comme indigne et insupportable, d'autant plus qu'elle ne correspond pas à ses choix[6].

Dans quelques écrits explicitement inscrits sous le signe de la bioéthique, il est bien prescrit de respecter la dignité de la personne malade ou simplement vieillissante ou vulnérable, de respecter surtout son autonomie et son droit de choisir son mode de vie et la qualité de celle-ci. On parlera des devoirs et des responsabilités des médecins et des autres acteurs du système. Faute de quoi, la démarche sera enveloppée par le silence des omissions ou éludée. Mais c'est seulement en proposant aux soignants le dialogue comme voie de solution qu'ils pourront analyser et résoudre les problèmes.

5. Edgar Morin (2004), *La Méthode*. Tome 6, *Éthique*, Paris, Seuil, p. 52.
6. Jean-Pierre Béland (dir.) (2008), *Mourir dans la dignité ? Soins palliatifs ou suicide assisté, un choix de société*, Québec, Les Presses de l'Université Laval.

Le « dialogue » en éthique clinique

Le dialogue favorise l'expression de la souffrance éthique vécue au cœur de la pratique. Il met en avant l'idée que le sens éthique de l'agir médical n'est pas le fruit d'une personne isolée, même si celle-ci montre beaucoup de bonne volonté, mais d'une stratégie commune intégrant un ensemble d'acteurs concernés par le problème à résoudre.

Les participants au dialogue doivent être attentifs aux quatre types d'enjeu qui existent dans un processus de recherche de coconstruction d'une solution commune à une situation singulière dans un milieu de pratique.

Le premier est l'identification du problème éthique, à savoir: quelle est la nature du problème? Toute personne qui participe au dialogue peut amorcer la réflexion sur cette question.

Le deuxième est la connaissance de soi et des systèmes de valeurs qui orientent les décisions. Les trois référentiels concernés dépendent de l'histoire, de la culture et de la personnalité de chacune des parties en cause. Il faut clairement discerner:

i) le référentiel des professionnels qui intègre des données juridiques et déontologiques aux recommandations, protocoles et résultats des études cliniques;

ii) le référentiel des intervenants de l'équipe soignante;

iii) le référentiel du soigné ou de ses proches désignés.

Le troisième est le soigné qui a droit à des services de santé et sociaux pertinents et de qualité. Le groupe de dialogue n'a alors de sens que pour lui.

Le quatrième est l'évaluation des conséquences prévisibles de la décision consensuelle, y compris celles susceptibles de s'avérer antagonistes à court, à moyen et à long terme.

Prendre ainsi conscience d'un problème éthique à partir de l'expression de la souffrance du soignant, le formuler clairement et travailler à le résoudre marquent les phases essentielles d'un mode du dialogue pour provoquer le changement souhaité.

La « formation » au dialogue

Une telle voie de solution suppose la formation des soignants. Elle désigne alors le cercle de dialogue comme un groupe interdisciplinaire et pluraliste de participants volontaires :

- un lieu de formation structurée par la présence d'un éthicien animateur-chercheur : son rôle est d'accueillir la parole particulière ; de la comprendre ; d'animer le dialogue de façon à ce que les participants en respectent les étapes et les conditions (les règles d'éthique du respect de l'autre, les variables de la coopération, les stratégies d'intervention) ; d'examiner les propos entendus et de soumettre une analyse, discutée et retenue, de la situation pour favoriser la coconstruction de sens ;
- un lieu de soutien sur les plans hiérarchique, médical et cognitif susceptibles de faciliter l'autorégulation des fonctionnements internes qui améliorent la relation d'aide soignant/soigné par l'atténuation de la souffrance des soignants ;
- un lieu de développement de la compétence éthique, comprise comme étant la capacité d'une personne à prendre des décisions responsables et éclairées par l'apprentissage de l'écoute de l'autre à la suite de la prise de parole de chacun des membres de l'équipe de dialogue ;
- un espace de libre expression qui concerne la mise en mots de la souffrance éthique vécue, la verbalisation des dilemmes ou des paradoxes dans un mode dynamique de respect mutuel ;

– un espace de coconstruction de la décision (solution consensuelle) pour effectuer le changement souhaité.

La fonction du dialogue est alors déterminante dans l'établissement de l'identité du soignant en tant que sujet éthique qui s'adresse directement à l'autre comme à un partenaire (et non comme à un adversaire qui le juge et qu'il lui faut vaincre). Le soignant se représente lui-même ; il invite l'autre à proposer des arguments (valeurs choisies et conséquences) et à agir avec ceux qui justifient le meilleur choix individuel et collectif qui fait sens dans les circonstances.

Les « raisons » en faveur de la pratique du dialogue

Considérons les raisons qui justifient la décision libre et éclairée pour aménager des espaces de dialogue afin de diminuer la souffrance des soignants dans les établissements de santé.

Premièrement : le temps et la qualité des soins

Les médecins aussi bien que les infirmières ont dénoncé spontanément les carences de temps qui mettent en cause la qualité des soins. Nous savons que le système de santé québécois est actuellement touché par des engorgements dans les urgences, par le déploiement de files d'attente et par des retards dans les rapports d'analyse des patients. Tout cela donne lieu à des pressions intenses sur les soignants qui sont ainsi coincés entre les normes de bonne pratique qu'ils sont désireux d'appliquer et le manque de temps nécessaire pour y arriver. Comment pourraient-ils prendre le temps de réfléchir et de dialoguer ensemble pour offrir au public des soins de qualité ? Comment pourraient-ils gérer le temps des soins en fonction de moyens rentables de coopération avec les gestionnaires pour répondre aux problèmes éthiques découlant de la perte de sens humain du travail qu'ils tolèrent au point de se désengager professionnellement ou de s'absenter autant que possible ? Un dialogue entre les personnes concernées (médecins, soignants, gestionnaires, public) favoriserait sans doute une meilleure organisation du « temps pressurisé » de travail des médecins et des soignants qui les aiderait à faire face à leur fatigue et à l'effritement de la qualité des soins causés par une situation de surcharge permanente.

Deuxièmement : l'ordre et le meilleur vivre-ensemble

De l'avis des soignants, le vieillissement de la population et l'augmentation des cas de maladie chronique, les « cas lourds », dont ceux de cancer, en plus du désengagement de l'État et du manque de ressources de toute nature, sont les éléments d'un contexte dans lequel se pratique une médecine trop souvent désorganisée. Un temps de dialogue où les équipes pluralistes et interdisciplinaires pourraient analyser et proposer des réponses singulières constitue alors un appel au changement souhaité vers l'ordre et le meilleur vivre-ensemble. Sa visée ultime est surtout de favoriser un vivre-ensemble harmonieux sur les plans interpersonnel, organisationnel et social.

Troisièmement : la responsabilité et la solidarité

La responsabilité objective, qui suppose la conformité à des normes prescrites, sollicite le sens du devoir. Cependant, l'accélération des processus de travail et l'impossibilité de bloquer les demandes de soins, ce qui supposerait le refus de soigner les patients, obligent parfois les soignants à prendre des risques. Chaque acte professionnel comporte celui de se tromper. Face à la crainte de l'erreur médicale, il y a celle d'un blâme. Puis, il y a l'absence de solidarité : « Si ça va mal, c'est de ta faute ; si ça va bien, c'est grâce à nous. » Ainsi, les retombées d'un travail de dialogue sont aussi de prévenir les graves méfaits, telles l'erreur médicale et la sanction qui peuvent s'ensuivre. Le dialogue prévient, du même coup, le manque de solidarité qui s'amplifie devant l'absence de loyauté de certains confrères qui n'hésitent pas à décrier le travail des autres ou à critiquer, devant les patients, les décisions ou les diagnostics qui ont été pris. Autrement dit, il fait passer de la responsabilité solitaire à la responsabilité solidaire lors de relations dialogiques entre collègues soucieux de l'autre et du soigné. Il permet de la sorte un exercice de *responsabilité subjective et partagée* qui s'approche de la «prise en charge» des intérêts des soignants et des soignés. Cette responsabilité solidaire prend le sens plus précis de capacité à répondre de sa décision devant autrui. Le sens du devoir, le sens du respect de l'autre et la responsabilité partagée forment ainsi un tout dans un groupe de dialogue qui favorise la construction individuelle et collective de la meilleure décision possible comme finalité.

Quatrièmement: l'éthique hétérorégulatoire et l'éthique autorégulatoire

Pour que l'éthique du dialogue (éthique autorégulatoire) et la déontologie professionnelle (éthique hétérorégulatoire) fassent sens, il importe qu'elles ne soient plus perçues par les décideurs (ministères, régies, organisations, directions générales) comme des réalités antagonistes, mais comme des réalités complémentaires, les aspects d'un même processus dynamique de coélaboration de la décision comme finalité. L'éthique du dialogue ne repose ni sur la pure autonomie (créer sa propre loi), ni sur la pure hétéronomie (se soumettre à la loi venant de l'extérieur), ni sur la pure responsabilité subjective et partagée (venant de l'intérieur), ni sur la pure responsabilité objective (venant de l'extérieur). Elle n'est ni pure éthique dissidente (venant de la remise en question de la loi) ni pure morale déontologique (venant d'une loi qui commande et impose le silence). Il faut plutôt en faire le résultat d'une interaction entre les deux éthiques en nous, dans notre esprit commun. Il faut, en somme, que l'éthique dialogique puisse vivre dans le cadre d'une déontologie professionnelle. En retour, la déontologie professionnelle peut prendre sa source dans l'éthique dialogique pour résoudre les problèmes à partir de l'expression des groupes de dialogue.

Conclusion

«*La souffrance des soignants*» ne trouve sa justification et sa solution que dans le compromis entre deux conceptions complémentaires: l'éthique hétérorégulatoire et l'éthique autorégulatoire. Ces sources sont en tension dans le dialogue pour résoudre les problèmes à partir de l'expression de la souffrance ou du malaise des soignants. Le manque de compréhension ou de perméabilité de ces visions nécessaires de l'éthique dans le modèle dialogique pourrait entretenir chez les décideurs le malentendu consistant à croire que le dialogue contredit la norme plutôt qu'il n'est un appel **à la créativité au cœur des contraintes**. Nous avons cherché à dissiper ce malentendu par l'argument du compromis afin d'atteindre l'objectif de notre propos qui est de faire saisir l'importance d'un choix éclairé en faveur de l'expression de la souffrance des soignants par le dialogue pour la coélaboration de la meilleure solution en vue d'un vivre-ensemble harmonieux dans des organisations plus humaines.

Chapitre 2

De la souffrance au dialogue

Danielle Poirier, professeure en sciences infirmières,
Université du Québec à Chicoutimi

Introduction

Ce témoignage émerge d'une réflexion réalisée dans le cadre de ma démarche doctorale en théologie pratique, volet praxéologie, qui m'a permis de revisiter des périodes de grand bonheur en milieu de travail, mais aussi certains moments de souffrance vécue et observée plus particulièrement au cours des années 1990. Des années caractérisées par de nombreux changements organisationnels rendant ma pratique infirmière plus difficile à exercer en raison d'un contexte de grande turbulence favorisant l'éclatement des repaires de sécurité, l'isolement et une organisation du travail laissant très peu d'espace à un dialogue réflexif avec les collègues.

À cette observation de ma pratique durant cette période se sont ajoutées celles de collègues syndiqués ou cadres dans le milieu québécois de santé, travaillant soit dans un hôpital, soit dans un CLSC, soit dans un CHSLD, face à une perte de sens dans le contexte de leur travail actuel en constante transformation. En tant que professeure, mais surtout en tant qu'infirmière humaniste sensible à la souffrance de l'autre, cette situation m'interpelle.

Le témoignage qui suit propose en toute simplicité un court récit de souffrance reliée à un climat de travail devenu malsain à mes yeux, quelques réflexions personnelles parfois appuyées par des auteurs, des confidences d'infirmières vivant l'expérience de la souffrance en milieu de travail ainsi qu'un moyen permettant de mieux l'exprimer, le dialogue réflexif.

Si ce témoignage, qui est unique, sans prétention, non généralisable, transférable et je l'espère non accusateur, vous amène à vous questionner et à enrichir votre réflexion sur la souffrance des soignantes[1], il aura atteint son but.

Une période de turbulence

Nous sommes au début des années 1990. J'occupe un poste d'infirmière bachelière dans un CLSC. J'aime travailler dans cet établissement. La profession est toujours aussi passionnante. De nouveaux services voient le jour, dont Info-santé, l'AEO que l'on appelle la clinique sans rendez-vous. Les défis sont grands et nous sommes fières de les relever ensemble. Nous avons du plaisir, de la collaboration, du temps pour réfléchir, de la solidarité, un travail d'équipe, un respect des différences et la confiance règne entre nous. Bref, je suis heureuse et je ressens un sentiment de bien-être dans cet environnement qui constitue un déterminant important sur ma santé. Même si j'y passe 50 % de ma vie éveillée et 75 % de ma vie active, je n'ai vraiment pas l'impression d'y perdre mon temps. Au contraire, j'ai la possibilité de contribuer aux besoins de la population dans un organisme de santé qui fait l'envie de bien des professionnels du milieu et

---

1. Afin d'alléger la lecture le genre féminin sera utilisé tout au long du texte.

de participer à l'organisation des nouveaux services et à la construction de nouveaux outils de travail.

Tout va bien, les années passent, mais voilà, pour toutes sortes de raisons sociodémographiques et économiques qui sont associées, entre autres, au vieillissement de la population, au développement technologique et à l'augmentation du coût des médicaments, nous empruntons un virage ambulatoire. Nous passons en mode fusion. Plusieurs infirmières avec qui je travaille depuis ces dernières années partent prématurément à la retraite. Autant de départs, autant de deuils à vivre. Le rythme s'accélère. Les coupures budgétaires s'additionnent. Nous assistons à un replacement sans précédent d'infirmières qui viennent de quelques hôpitaux de la région. On les appelle les SRMO (service de replacement de la main-œuvre infirmière). La plupart arrivent avec plus d'ancienneté, ce qui décourage certaines de mes collègues qui attendent un poste depuis longtemps. Nous passons en mode obligatoire de distribution des tâches. Qu'importent l'expérience et la perte du savoir spécifique acquis au fil du temps. À titre d'exemple, une infirmière des soins intensifs dont le nom figurait sur la liste de replacement vient d'un hôpital. Elle se retrouve assise devant un ordinateur au service Info-santé. Celle qui perd cette place n'entend pas à rire. Pour celle qui arrive, peut-on souhaiter un meilleur accueil ? Durant cette période, pour quelques-unes, c'est le drame et pour d'autres, c'est un plus. C'est l'occasion de passer à autres choses, de relever de nouveaux défis et même d'améliorer certaines conditions de travail. Les changements se multiplient, les émotions également. Notre environnement de travail devient presque étranger. Les cultures s'entrechoquent. À la suite d'un déménagement, nous aboutissons dans une autre bâtisse. J'ai de nouvelles collègues et de nouvelles responsabilités. Notre mission préventive laisse de plus en plus de place à celle curative. On nous attribue officiellement un mandat de service de première ligne. La tension générée par un mouvement de résistance chez plusieurs est sans précédent. La méfiance rôde. Nombreuses sont celles qui sont très frustrées vis-à-vis de cette situation. Le climat de travail est à son plus bas. Nous essayons tant bien que mal de nous ajuster à cette réalité. Bref, c'est ce que nous pouvons appeler un changement radical. Il est à noter que les critiques formulées lors du virage ambulatoire portent sur la façon de procéder brusquement et non sur le bien-fondé de ce virage.

Le besoin de se retrouver en cercle

À part une chaîne d'énergie en cercle, improvisée entre infirmières dans le corridor, à l'insu des clients évidemment, et quelques moyens personnels pour refaire le plein, nous n'avons ni espace ni temps pour des échanges ou du soutien de la part des collègues et des supérieurs immédiats, qui sont dans la même situation que nous. Comment vivent-ils cela? Comment le savoir? Nous ne dialoguons pas. Des clans se forment et les divisions deviennent palpables. D'un environnement positif de travail, nous passons en mode plutôt hostile et négatif. Bien sûr, nous avons quelques réunions, mais à caractère administratif. Lorsque nous avons besoin d'aide psychologique, il y a le PAE (programme d'aide aux employés). Pour la première fois dans ma carrière, je ne me sens vraiment pas bien au travail et pour me protéger, je commence à me refermer sur moi-même. Je sais qu'il y a d'autres façons de réagir, que nous sommes toutes dans le même bateau, mais je ne suis pas capable de faire autrement.

Sans vouloir caricaturer, je dirais que c'est ici que ma souffrance commence. Même si dans le passé j'ai eu la chance de changer plusieurs fois de contexte de travail, j'ai l'impression d'être insuffisamment préparée pour vivre tous ces changements qui nous sont imposés et, surtout, peu expliqués. Je constate également la grande importance que j'accorde à la qualité du climat organisationnel dans mon environnement de travail qui se situe maintenant dans un système en manque de relations humaines significatives et de soutien, tout en continuant d'être humaine dans la dispensation de mes soins. Quel paradoxe ! Ma seule raison d'être dans ce contexte devenu plutôt négatif consiste à me concentrer uniquement sur les soins que je donne aux clients que je reçois. Au risque de perdre le peu d'énergie qu'il me reste à écouter certaines paroles négatives et décourageantes ou encore à m'exposer ou à exposer les autres aux jugements, j'évite de communiquer avec mes collègues. Sans dialogue, mon expérience devient vite incompréhensible, car je parviens difficilement à lui donner un sens. Cette notion de perte de sens, je la traduirais, avec l'aide d'Estelle Morin (citée par Pauchant et Mitroff, 1995), soit par un manque de définition de visions, de directions pour l'avenir, soit par l'absence d'assise de ces visions sur mes valeurs profondes qui me donnent normalement une raison de travailler. À ce stade, sans la présence de mes paramètres de sécurité, il est facile de passer dans le rang de la victimisation, de la paranoïa ou dans celui de la résistance ou de la fuite.

Une sensation de vide et d'effondrement

Prise au piège dans cet isolement pour la première fois dans ma carrière, c'est presque l'effondrement, la sensation d'être vidée. Je craque sous la pression des non-dits. Je souffre d'un manque de dialogue et d'une position psychosociale peu sécuritaire. Cette impuissance génère en moi de la culpabilité, une incapacité à agir ou, du moins, à m'adapter. Ce qui est certain, même s'il y a pire dans la vie, c'est que je souffre. Une souffrance que Chapman et Gavrin (1993) définissent ainsi :

> un état affectif, cognitif et négatif complexe caractérisé par la sensation d'être menacé dans son intégrité, le sentiment d'impuissance ressenti face à cette menace et par l'épuisement des ressources personnelles et psychosociales qui permettent de l'affronter.

Le drame, c'est qu'il devient alors de plus en plus difficile, dans un contexte de travail bouleversé qui porte à s'isoler, d'être l'infirmière passionnée et humaine que je souhaite. Il devient tout simplement de plus en plus difficile d'être moi-même. Ce contexte organisationnel a pourtant connu de nombreuses réformes[2]. Une recension d'études réalisée par Lavoie-Tremblay, Viens et Leclerc (2002) révélera plus tard que la réorganisation en profondeur des services de santé, accompagnée d'une rationalisation serrée de l'utilisation des ressources et du volume des dépenses, a provoqué des bouleversements importants dans les modes de pratique du soin et dans l'environnement de travail du personnel soignant dont je faisais partie. Ces auteures confirment que nous faisions face à de graves problèmes dans notre milieu, tels le bris des équipes de travail, l'instauration d'un climat de méfiance, des conditions d'emploi difficiles, la démobilisation, la déresponsabilisation et l'impuissance. Toujours selon cette recension, des études réalisées auprès de divers groupes d'infirmières font mention d'épuisement, de détresse psychologique[3] et de souffrance.

Le sens de cette souffrance

Quelques années ont passé et j'observe encore beaucoup de souffrance chez les infirmières qui ont vécu cette période. Plusieurs disent ne plus avoir le feu sacré et comptent les années qui leur restent avant la retraite. Ces personnes soignantes extraordinaires, porteuses de blessures organisationnelles « non soignées », ont perdu confiance. Ce qui m'attriste le plus, c'est qu'elles quitteront par la porte d'en arrière plutôt que par la porte principale avec la tête bien haute, satisfaites et contentes du travail accompli. Comme le mentionnent Daneault, Lussier et Mongeau (2007) :

> L'expérience de la souffrance peut trouver une issue positive si elle amène les sujets qui souffrent à redéfinir leur rapport au monde, leurs valeurs, leurs croyances et leurs priorités [...]. Dans un tel cas, [...] l'état de la souffrance n'est plus un processus stérile.

---

2. Les rapports Arpin, Clair, Romanow, Ménard et Castonguay.
3. 41 % des soignantes déclarent ne pas avoir le temps suffisant pour effectuer leur travail correctement en plus de la peur de faire des erreurs.

A postiori, aidée par le psychiatre Christophe Dejours (2000), un des sens le plus significatif que je peux donner à mon expérience est le suivant: les effets constatés de ces nouvelles contraintes organisationnelles concernaient principalement l'éclatement de mes paramètres de sécurité, qui étaient mon collectif de travail, ma solidarité entre collègues, la force des modes de coopération au sein de nos équipes, le manque de temps et d'espace pour le dialogue, la non-connaissance des valeurs collectives ainsi que le changement de nos pratiques dans un contexte individuel pour la plupart non volontaire et peu réfléchi. J'ajoute à cela des propos qui soulignent qu'il n'y a pas plus de souffrance aujourd'hui qu'avant, c'est la capacité de résistance à la souffrance qui a diminué et la fin de solidarités collectives qui, il y a quelques décennies, prenaient en charge ces maux (Robert, 2006).

Le contexte de travail déshumanisé

Aujourd'hui, je suis professeure en sciences infirmières. J'ai quitté le terrain, comme on dit, mais j'ai le privilège d'y retourner à l'occasion pour superviser des étudiantes en stage. Ici, rassurez-vous, je n'ai pas perdu ma passion pour la profession. Je célèbre avec une grande joie la création de nouvelles façons de faire telles que la fonction d'infirmière de liaison, la pratique infirmière avancée, le développement de nouveaux services de prévention, le développement des soins, l'interdisciplinarité, etc. Mais ce que j'observe n'est pas nécessairement plus positif qu'hier en termes de souffrance chez le personnel soignant.

Ce problème en lien avec le contexte de travail, parce qu'il y d'autres types de souffrance, est complexe et inquiétant dans notre monde actuel. Il se situe, en ce qui concerne certains milieux cliniques, à l'aube et pour la plupart dans une grave pénurie d'effectifs soignants. Ce que j'observe et ce que je retiens de lectures ou de confidences d'infirmières en emploi dans le secteur de la santé, c'est un contexte de travail organisationnel et professionnel caractérisé par: l'unicité des situations; la complexité; l'instabilité; l'incertitude; les conflits de valeurs; des erreurs de raisonnement; des mécanismes routiniers de défense; des personnes heureuses, mais aussi plusieurs autres qui ont peur et qui pleurent; des personnes fatiguées qui se trouvent dans un milieu atteint ou menacé par la pénurie de cadres et de syndiqués[4], la diminution du budget[5], la fragmentation de la tâche[6], le manque de dialogue, une panne d'humanité, des passions éteintes et des réactions de défense qui anéantissent la capacité de penser de l'individu en devenant plus émotif; un monde infirmier à qui l'on reconnaît plus de responsabilités, mais qui n'est pas encore suffisamment contrebalancé par une plus grande autonomie; une absence d'arbitrage qui se manifeste par un sentiment de frustration et de non-qualité, voire de souffrance; un personnel soignant qui accuse depuis ces dernières années une surcharge de travail face au vieillissement de la population, à la chronicisation des pathologies, à l'augmentation des problèmes psychosociaux, à la responsabilisation plus ou moins réussie de la personne vis-à-vis de sa santé et aux besoins plus élevés de la clientèle et des proches aidants; un monde de soins caractérisé également par la domination de l'aspect technique sur l'aspect humain; en somme, une situation bien illustrée dans le témoignage suivant:

> Avoir la philosophie du *caring* et ne pas pouvoir l'appliquer crée une grande souffrance. Pour moi, le savoir-être est primordial. Le savoir-être, c'est l'écoute, l'empathie, la délicatesse du geste et du comportement. Il est rare d'avoir le temps de s'arrêter, d'écouter le patient avec attention. On finit trop souvent par le considérer comme

---

4. La moitié des travailleurs du réseau quitteront d'ici 2015 et les nouveaux diplômés ne suffiront pas à combler les besoins (AQESSS, 2007, cité dans *Le Quotidien*).
5. La part du budget du gouvernement s'établit à 44,2 %, 24 % éducation et 31,8 % autres, caractérisés par une médecine de plus en plus spécialisée et technicienne qui bénéficie fortement pour financer son développement de l'existence d'un système de dépenses socialisées. Un système que l'on cherche de plus en plus à privatiser (Rapport Castonguay, 2008).
6. Par exemple, une patiente alitée en milieu hospitalier peut recevoir dans la même journée les services d'une préposée, d'une infirmière auxiliaire, d'une infirmière technicienne et d'une infirmière bachelière.

> un ensemble d'actes qu'on doit effectuer, car il y en a plusieurs à effectuer, pour plusieurs personnes, et que toutes y ont droit avec un minimum de qualité (L'Heureux, 2005).

Dans ce témoignage, il est possible d'observer le malaise qui est lié au fossé qui sépare la forte pression du modèle productiviste et utilitariste qui influence l'organisation du service de santé et les idéaux éthiques d'une pratique du soin humain qui semble très difficile, voire impossible à atteindre. Les taux élevés de fatigue, d'épuisement, de dépression et d'abandon de la profession illustrent l'ampleur de cette souffrance chez le personnel soignant.

En somme, un contexte de soins dans lequel le personnel soignant peut facilement se heurter aux valeurs humanistes personnelles de la profession et aux valeurs utilitaristes des sociétés modernes. Faut-il vraiment le rappeler : pour qu'il soit véritablement soignant, le soin doit être avant tout humanisant. Bien que les compétences techniques soient indispensables, quelle importance et quelle place accordons-nous à une pratique empreinte d'attitudes de prises en charge telles que le respect de soi et des autres, la sensibilité, le souci de l'autre, la gentillesse, l'amour de soi et d'autrui, l'authenticité, la présence, le calme, la patience, l'honnêteté, la confiance ainsi que la compétence humaine ? Où en sommes-nous avec le soin global ? Qu'en est-il de la continuité des soins ?

Il devient alors légitime de s'inquiéter de la qualité des soins dans notre monde qui vit des crises complexes aux multiples dimensions (Capra, 1983), caractérisées par l'ingouvernabilité de la plupart des grands systèmes et par une augmentation de la rapidité des communications, qu'il est de plus en plus difficile de comprendre et d'intégrer (Genelot, 1992). Un constat que fait également Lemieux (2000) lorsqu'il mentionne que notre monde vit des difficultés globales, complexes et ingérables. Soit :

– Une société qui est de plus et plus hédoniste, individualiste et compétitive. Un monde saturé d'un sens qui s'impose, un sens de plus en plus totalitaire, puisqu'il ne laisse de place qu'à une pensée unique dans une logique de marchés et de technologies.

- Une société dans laquelle on est loin de la recherche de notre propre sens lorsque la plupart des humains, en fait, ont l'impression de ne pas avoir de choix : le sens de leur travail, de leurs amours et de leur vie, est à toutes fins utiles programmé, inscrit dans un destin qu'ils ne peuvent qu'invoquer, sans le maîtriser.
- Une société dans laquelle des soignantes vivent et taisent le plus souvent leur souffrance.

Le tableau suivant présente quelques titres d'articles parus au cours des dernières années qui font état de cette situation de souffrance dans un tel contexte de travail déshumanisé.

Tableau 1
Revue de presse

- Prévenir la souffrance au travail : une priorité du gouvernement (Ministre de la Santé, France, mars 2008).
- Infirmière, une profession en mutation. (*La Presse*, 2007).
- La souffrance des professionnels de la santé (*Douleurs*, 2007).
- La pénurie d'infirmières s'amplifiera (*Le Quotidien*, 2007).
- Tu prends ça trop à cœur, tu vas te rendre malade ! (*La Presse*, 2006).
- Personnel infirmier à bout de souffle ! (*Le Quotidien*, 2006).
- Pas facile le travail d'infirmière (*La Presse*, 2006).
- Insuffisance du travail d'équipe et burn out, deux prédicteurs majeurs dans l'intention de quitter la profession infirmière (*Soins, cadres de santé*, 2006).
- Souffrance cachée des soignants : quelles réponses ? (*Médecine palliative*, 2005).
- Infirmières, des conditions de travail encore plus difficiles (*Soins*, février 2005).
- Le mal-être quotidien du soignant (*Éthique et santé*, mai 2004).

La relève

Les nouvelles infirmières sont motivées et enthousiastes à l'idée de pratiquer, enfin, de façon autonome leur profession. Une fois le programme collégial terminé, plusieurs de celles qui ont un emploi poursuivent leur formation au niveau universitaire. Comme la plupart d'entre nous, ces étudiantes s'adonnent à plusieurs activités à la fois. Elles développent des stratégies d'adaptation, mais elles deviennent souvent insatisfaites de leurs résultats. Concilier vie privée, travail, études et gestion de l'horaire (travail + stage, travail + travail supplémentaire) relève de l'exploit. Afin de répondre aux besoins de plus en plus grands de l'organisation, elles travaillent un peu partout. Elles assument, comme les autres, les heures supplémentaires obligatoires et, aussi, elles remplacent les infirmières épuisées qui ont de grandes responsabilités. Pour les novices, la barre est souvent très haute. Ces nouvelles infirmières se plaignent de ne pas être écoutées par les administrateurs et les administrateurs se plaignent de ne pas être écoutés par elles. Elles constatent également un manque de communication entre collègues alors qu'il existe une instabilité au sein des équipes de travail et une pénurie de personnel. Dans un tel contexte, il est facile de deviner que les occasions de dialogues réflexifs pour échanger afin de donner un sens positif à ce qu'elles vivent sont rares en milieux clinique et universitaire.

Dans notre pratique d'enseignante, lorsque l'on prend le temps d'instaurer, avant le début d'un cours, un moment de dialogue avec quelques étudiantes et que nous réfléchissons sur les obstacles rencontrés et sur les moyens à prendre pour les surmonter, l'expression de leurs visages change, quelques-unes s'expriment et d'autres gardent le silence. Le courant circule, nous sentons qu'elles ont beaucoup à dire. Malheureusement, le temps passe, le cours doit commencer et nous devons interrompre ce dialogue empreint d'humanité d'une grande richesse.

Dans le but de développer et de poursuivre cette réflexion sur la souffrance des soignantes, un sondage a été réalisé auprès de 34 étudiantes infirmières à l'automne 2008. Quelques professeures en sciences infirmières de l'UQAC ont accepté de collaborer et ont invité leurs étudiantes en emploi dans le secteur de la santé à répondre de façon volontaire et anonyme à un questionnaire. Pour guider cette enquête, trois questions ont été posées :

1) Quelle est votre définition de la souffrance du soignant ?
2) Identifiez une ou des situations qui génèrent de la souffrance dans votre travail quotidien ?
3) Quels seraient les moyens pour soulager cette souffrance ?

La définition de la souffrance par Chapman et Gavrin (1993) a servi de référence aux questions 1 et 2. Elle renvoie, rappelons-le, à

> un état **affectif**, **cognitif** et **négatif complexe** caractérisé par la sensation d'être menacé dans son intégrité, le sentiment d'impuissance ressenti face à cette menace et par l'épuisement des ressources personnelles et psychosociales qui permettent de l'affronter.

Les réponses, tout aussi intéressantes les unes que les autres, sont présentées dans les tableaux 2, 3 et 4.

TABLEAU 2

Question 1 : Quelle est votre définition de la souffrance du soignant ?

État affectif
• État d'âme, un inconfort personnel ou professionnel perçu de façon différente selon les personnes. • Malaise physique, psychologique, émotionnel et spirituel, peut passer inaperçu, insidieux. • Ne pas se sentir bien, état de mal-être diffus, peur, inquiétude et incertitude. • État de malaise, de tristesse, de détresse et d'angoisse. • Sentiment d'être dépassée par les événements ou par la surcharge de travail. • État qui empêche de fonctionner adéquatement au quotidien, comme une peine, une déception. • Sentiment de frustration par rapport à la douleur et aux difficultés vécues par le client. • Perte de plaisir dans la vie. • Vivre avec du stress. • Démoralisation, manque d'intérêt à travailler et à donner des soins. • Tout ce qui brime la passion et la signification personnelle de soigner.
État cognitif
• Impuissance ou incapacité à agir afin d'aider ou de soulager le client lors d'une maladie chronique incurable. • État de déséquilibre mental et physique causé par la réalité. • Ne plus être capable de reprendre le dessus, physiquement et moralement, après une journée de travail, un congé, se sentir fatiguée et incapable d'effectuer ses tâches correctement. • Avoir de la difficulté à soigner quelqu'un. • Incapacité à être heureuse dans le travail parce que je suis incapable de le faire de façon satisfaisante.
État négatif complexe
• Accumulation d'expériences négatives.

TABLEAU 3

Question 2 : Identifiez une ou des situations qui génèrent de la souffrance dans votre travail quotidien ?

Menace dans son intégrité
• Incompréhension, inconfort et injustice. • Jugements par soi ou les autres. • Relation tendue avec une collègue de travail. • Non-reconnaissance de ses propres besoins et de ses malaises professionnels. • Conflit intergénérationnel entre employés. • L'insécurité de ne pas savoir quand ni où je vais travailler et pour combien de temps je serai sur un département. • Se tromper dans un soin.
Sentiment d'impuissance
• Ne pas pouvoir échanger. • Monde où tout va trop vite. • Plusieurs choses à faire en même temps. • Besoins qui dépassent nos limites. • Patient qui a des douleurs chroniques. • Lorsque je ne peux identifier et répondre exactement aux besoins du client. • Situation d'urgence lorsque tout va mal : manque d'équipement ou matériel qui ne fonctionnent pas, délais trop longs pour avoir une réponse au téléphone. • Décès d'un enfant ou d'un client que l'on connaissait bien. • Client en soins palliatifs ou en phase terminale. • Perte d'un être cher dans une famille, un décès subit, un accident grave... • Voir un client qui n'a aucun soutien social et qui devra mourir seul. • Une mauvaise nouvelle pour un client, un diagnostic sombre.
Épuisement des ressources personnelles et psychosociales
• Donner des soins à des personnes qui sont tannées de souffrir. • Pas beaucoup de personnel et lourdeur de la tâche. • Lorsque trop de compassion. • Incompréhension de l'employeur si un congé de maladie est demandé. • Climat de travail, collègues de travail sans affinités.

TABLEAU 4

Question 3 : Quels seraient les moyens pour soulager cette souffrance ?

Communication
• Être écoutée. • Exprimer les émotions. • Dires les choses, ne pas tout garder en dedans, collègue, chef de département. • Discuter avec les collègues et les médecins. • Essayer de valider avec le client ce qui est frustrant et dérangeant. • Garder un lien avec les collègues de travail. • Rencontre pour retour sur les situations vécues. • Conférence entre soignantes. • Dialoguer.
Réflexion
• Chercher à comprendre. • Souffrance inévitable : savoir la gérer et lui donner l'importance qui lui revient. • Écouter la souffrance et analyser les moyens pour la diminuer. • Diminuer la charge de travail. • Augmenter mes connaissances et acquérir de l'expérience avec le temps. • Reconnaître les éléments sur lesquels on peut agir et ceux sur lesquels on ne peut rien faire. • Faire une introspection pour voir ce qui n'a pas fonctionné en soi. • Définition des rôles, préposés, infirmières auxiliaires, etc. • Améliorer les orientations pour les nouvelles infirmières. • Bien planifier l'horaire de travail. • Ne pas trop s'impliquer émotionnellement. • Faire la part des choses. • Avoir une vision plus positive de la situation. • Améliorer les soins. • Ne pas amener les problèmes à la maison.

Tableau 4 (suite)

Question 3 : Quels seraient les moyens pour soulager cette souffrance ? (suite)

Valeurs
• Pendre le temps de réfléchir aux valeurs de la dignité humaine, de la liberté et de la solidarité qui inspiremt la qualité de soins. • Respect au centre de nos actions, pour les autres et pour soi. • Avoir plus de temps pour accompagner les clients dans leur problème de santé actuel. • Changer de profession ou m'orienter dans un autre milieu où les conditions de travail permettent un meilleur vivre-ensemble. • Se créer une barrière et ne pas s'attacher pour se protéger tout en offrant des soins de qualité.
Soutien
• L'entraide. • Pratiquer des activités de détentes (marche, photographie, ornithologie, sortie, repas entre amis, etc.). • Se faire confiance. • Mise en place de programmes structurés de soutien. • Développer des méthodes de reconnaissance au travail par les cadres. • Recevoir des compliments sur notre travail. • Rendre équitables les heures supplémentaires obligatoires. • Se reposer. • Augmenter le personnel, avoir plus de personnel pour aider les jeunes. • Recevoir de l'aide par des ressources professionnelles, soutien aux employés. • Consulter une psychologue au service santé. • Faire une thérapie en psychologie. • Prendre des médicaments. • Groupe d'aide, verbalisation. • Activité physique, avoir un loisir. • Adopter une attitude positive.

Rétablir le courant

Pour comprendre différemment le problème de cette souffrance en lien avec le contexte de travail, empruntons une image à Stallwood et Stoll (rapportée par Taylor, 2002). Par analogie, ces auteurs décrivent les dimensions physico-psycho-spirituelles de la personne à l'aide d'une ampoule électrique. La dimension physique est représentée par le verre, la dimension psychologique, par la lumière et la dimension spirituelle, par l'électricité. La situation actuelle de manque de dialogue réflexif, dialogue caractérisé, entre autres, par l'expression, l'écoute, le respect et la suspension de jugement, fait en sorte que la structure organisationnelle peut couper provisoirement une partie de l'électricité qui dynamise profondément l'activité humaine. Ce ne sont pas seulement les personnes qui sont responsables de cette situation, mais aussi le contexte de travail déshumanisé, créé par les mêmes acteurs, qui coupent l'électricité, en empêchant ce type d'échanges sur des situations particulières vécues dans l'environnement de travail, pour en dégager le sens et dépasser ainsi les limites imposées aux pratiques actuelles. Le courant ne passe plus et on se demande comment s'y prendre pour rétablir le tout.

Sans être une panacée, une sorte de « courant électrique » se dessine, selon plusieurs auteurs, et c'est celle du dialogue. « Dialogue » vient du grec *dialogos*. *Logos* veut dire « mot, discours ou parole » ou, dans notre cas, nous pourrions dire « sens ou signification de la parole, du mot, du discours ». *Dia*, quant à lui, veut dire « à travers » ou « par », il ne signifie pas « deux ». C'est dans cette perspective qu'il émet l'idée que le dialogue, comme activité communicationnelle ou échange de paroles, facilite un courant de sens, de signification qui coule entre nous, parmi nous et à travers nous. Bohm (1996) donne au mot « dialogue » un sens un peu différent de celui qui est communément accepté. Il le définit comme une exploration collective non seulement du contenu de ce que les personnes disent, pensent et ressentent, mais aussi des motivations, des présuppositions et des croyances sous-jacentes. En règle générale, chaque individu a ses opinions, ses convictions, ses conceptions et ses croyances fondamentales qui, la plupart du temps, sont défendues quand elles sont remises en question par d'autres. Les personnes ne peuvent s'empêcher de les défendre et elles le font avec une grande implication émotionnelle. Ce que Bohm apporte de nouveau ici consiste à se donner un temps (1 ou 2 heures) et un espace et à utiliser le dialogue pour explorer les pressions qui sont derrière les convictions et non seulement considérer les représentations. Il s'agit de prendre le temps, en groupe, de réfléchir en profondeur afin de donner un sens à ce qui se passe.

Pour mieux cerner le dialogue de Bohm, Cayer (cité par Marchand, 2000) propose les dimensions suivantes. Il s'agit :

1) d'un dialogue comme conversation ;
2) d'un dialogue comme mode de questionnement ;
3) d'un dialogue comme création d'un sens ;
4) d'un dialogue comme méditation collective ;
5) d'un dialogue comme processus participatif.

C'est donc dire que l'objet du dialogue, ajoute Bohm (1996), « n'est pas d'analyser les choses ou de gagner un débat, qui ajoute à la fragmentation qui existe dans le monde, ou d'échanger des opinions ». Car il s'agit d'écouter et de considérer toutes les opinions, non seulement une ou deux, de les suspendre, de les regarder et de voir ce que tout cela signifie. En somme, il s'agit d'unir la sagesse et l'action. En tant que mode complémentaire aux autres formes de communication, plutôt que d'isoler l'individu, un réel dialogue améliore les relations difficiles qui sont souvent une source de souffrance entres les infirmières, les collègues et, par conséquent, les partenaires de soins. D'après Pauchant, Morin, Gagnon, Cauchon et Roy (2003), la pratique du dialogue permet :

- l'apprentissage, le changement et la transformation des organisations;
- de développer des habiletés pour la prise de décisions afin de résoudre des conflits;
- de travailler en commun de façon créatrice sur des sujets complexes;
- une meilleure intégration des considérations éthiques en organisation;
- une facilitation du bien-être et du développement humain au travail;
- une diminution des jugements: capacité de rester dans un silence respectueux et ouvert aux autres.

Le dialogue autorise l'émergence de quelque chose de neuf, qui n'était pas là au point de départ. C'est un processus créatif.

Un cercle de dialogue réflexif

Bohm (1996) et Pauchant (2002) ainsi que Marquis et Roy, deux animateurs dans la région du Saguenay–Lac-Saint-Jean depuis 1998, accordent au cercle de dialogue plusieurs caractéristiques. En voici quelques-unes.

- Les personnes forment un cercle qui exprime leur égalité où l'espace vide au centre représente de façon symbolique l'endroit où elles déposent leurs points de vue sur le sens de la pratique et leurs suppositions pour qu'ils soient observés de toutes.
- En dialoguant, chaque personne contribue à l'élaboration de significations communes. Il n'y a pas de décision à prendre à propos de quoi que ce soit dans un cercle de dialogue.
- Le nombre idéal de participantes se situe, selon Bohm (1996) entre 20 et 40.
- Elles sont libres dans le sens où il n'y a pas de but, pas de conclusion à trouver et pas d'obligation de parler.

- Le dialogue vise une communication vraie et cohérente. Il est un antidote aux discussions qui opposent les interlocutrices les unes aux autres et ajoutent à la fragmentation qui existe dans le monde.
- Il ne s'agit pas de créer un groupe fixe et permanent, mais plutôt un qui dure suffisamment longtemps pour que des changements puissent prendre place.
- Un groupe doit se rencontrer régulièrement et pour qu'il en vaille la peine, il est proposé de poursuivre le dialogue pendant un an ou deux.
- Le dialogue n'est pas toujours divertissant, ni apparemment utile. La tentation est forte d'abandonner lors de difficultés. Mais il est important de persévérer, même au milieu des frustrations.

Cette version particulière de la pratique du dialogue sera offerte, dans le cadre de ma recherche doctorale, à une vingtaine d'infirmières en quête de sens en emploi dans le secteur de la santé de la région du Saguenay–Lac-Saint-Jean qui désireront prêter une attention rigoureuse à leur pratique. L'analyse et l'interprétation inductives du contenu des rencontres des cercles de dialogue, en plus des récits de pratique et des journaux d'itinérance, nous permettront de cerner selon plusieurs thèmes les multiples facettes d'une pratique adaptée au contexte actuel. L'expérimentation du cercle de dialogue favorisant l'exploration réflexive nous permettra également de valider, entre autres, sa pertinence comme outil de collecte de données et comme approche d'apprentissage dans un programme de formation universitaire.

En terminant, il est intéressant de constater qu'en choisissant d'utiliser le cercle de dialogue réflexif dans notre étude, nous rejoignons un moyen suggéré par une étudiante infirmière lors de notre sondage :

> Nous avons besoin de temps et de compréhension, nous vivons dans un monde où tout va trop vite et où nous ne prenons pas le temps de faire ou de dire les choses. Le respect, sous toutes ses formes, devrait

> être au centre de nos actions, tant celui des autres que le nôtre. La souffrance est parfois inévitable, et il faut savoir la gérer et lui donner l'importance qui lui revient. Lorsqu'elle est présente, il faut l'écouter et analyser les moyens possibles pour la diminuer sans pour autant l'ignorer (Infirmière, étudiante au baccalauréat en sc. inf., anonyme, 2007).

Conclusion

Le problème de la souffrance des soignantes est complexe, multifactoriel et, bien entendu, présent dans nos organisations. C'est pourquoi la pratique d'un dialogue réflexif, qui amène une façon de penser plus entière, favorise l'émergence de sens et une raison de travailler qui permettent de porter une attention sérieuse à nos pratiques. Comme le mentionnent Bohm, Factor et Garrett (1991), sans la volonté d'explorer une situation frustrante ou qui nous dépasse au travail afin d'en acquérir une profonde compréhension, il devient difficile de faire face aux crises de notre époque.

Sans aucun doute en faveur de la pratique du dialogue, terminons avec cette parole de Simone Weil :

> Celui qui inventerait une méthode permettant aux personnes de s'assembler sans que la pensée s'éteigne en chacune d'elles produirait dans l'histoire humaine une révolution comparable à celle apportée par la découverte du feu, de la roue et des premiers outils (*L'enracinement*, 1949).

Références

Bohm, D. (1996). *On Dialogue*, Londres et New York, Routledge.

Bohm, D., D. Factor et P. Garrett (1991). *Dialogue, une proposition*, version française préliminaire, traduction et adaptation de J. Beaudoin, Mutation globale, révision de C. Aspiros et C. Sierpien.

Capra, F. (1983). *Le temps du changement*, Monaco, Éditions du Rocher.

Chapman, C.R. et J. Gavrin (1993). « La souffrance et sa relation avec la douleur », dans D.J. Roy et C.H. Rapin, *Les annales des soins palliatifs. Douleur et antalgie*, Montréal, Centre de bioéthique, Institut de recherche clinique de Montréal, p. 3-22.

Daneault, S., V. Lussier et S. Mongeau (2007). *Souffrance et médecine*, Québec, Presses de l'Université du Québec.

Dejours, C. (2000). *Travail et usure mentale*, nouvelle édition augmentée, Paris, Bayard, p. 281.

Genelot, D. (1992). *Manager dans la complexité – Réflexions à l'usage des dirigeants*, Paris, Insep Éditions.

Lavoie-Tremblay, M., C. Viens et M. Mayrand-Leclerc (2002). « L'environnement de travail : un élément déterminant du bien-être et de la qualité de vie au travail des infirmières », dans *Optimisez votre environnement de travail en soins infirmiers*, Québec, Presses interuniversitaires.

Lemieux, R. (2000). *Misère de la religion, grandeur du spirituel*, texte établi à partir d'une conférence au congrès Événement 2000... Le bilan de santé du spirituel et du religieux, Montréal, septembre.

L'Heureux. (2005). *La presse*, mars.

Marchand, M.E. (2000). *L'exploration réflexive dans la pratique du dialogue de Bohm : une expérience avec des gestionnaires, conseillers et formateurs en gestion*, Thèse inédite, Montréal.

Pauchant, T.C. (2002). *Guérir la santé*, Montréal, Éditions Fides et Presses HEC.

Pauchant, T.C. et I.I. Mitroff (1995). *La gestion des crises et des paradoxes*, Montréal, Québec Amérique et Presses HEC.

Pauchant, T.C., E.M. Morin, M. Gagnon, D. Cauchon et Y. Roy (2003). « Dynamiser le changement, l'apprentissage et l'éthique en organisation. Une évaluation de la discipline du dialogue », article à être soumis à la *Revue Gestion*.

Robert, A.C. (2006). « Souffrance au travail », *Le Monde diplomatique*, mai.

Taylor, J.E. (2002). *Spiritual Care. Nursing Theory, Research and Practice*, New Jersey, Prentice Hall.

Chapitre 3

Contraintes à l'œuvre et sujets à l'épreuve : la détresse psychologique au travail montre des sujets en quête de rapports sociaux renouvelés par le dialogue

Louis Trudel, Claudine Simard, Nicolas Vonarx,
Michel Vézina, Alain Vinet, Chantal Brisson
et Renée Bourbonnais, Université Laval[1]

---

1. Louis Trudel, Claudine Simard et Renée Bourbonnais sont au Département de réadaptation de la Faculté de médecine. Nicolas Vonarx est à la Faculté des sciences infirmières. Michel Vézina et Chantal Brisson sont au Département de médecine sociale et préventive de la Faculté de médecine. Alain Vinet est au Département des relations industrielles de la Faculté des sciences sociales.
Sincères remerciements à l'établissement qui a permis la réalisation de cette recherche et particulièrement aux personnes qui ont courageusement participé aux groupes. Une reconnaissance particulière à France Fleury pour sa contribution à la collecte et à l'analyse des données, de même qu'à Lucie Gélineau pour sa collaboration à l'analyse des données.

Introduction

Les contraintes de l'environnement psychosocial de travail rapportées dans les modèles de risques psychosociaux du travail sont reconnues comme des facteurs qui influencent l'apparition des symptômes de détresse psychologique. Dans le cadre d'une recherche-intervention, pour comprendre la subtilité de cette influence et identifier des pistes de solution, nous avons invité des travailleurs (secteur public) à participer à des entretiens collectifs. Après cinq rencontres réalisées avec six groupes (7 à 14 personnes), échelonnées sur une période de 24 à 36 mois, nous avons documenté les situations qu'ils ont vécues, les problèmes auxquels ils devaient faire face et leurs effets sur eux ainsi que les changements organisationnels à réaliser prioritairement dans l'environnement psychosocial de travail pour réduire la pression. Les résultats ont permis de formuler un modèle de lecture des liens entre les contraintes de l'environnement psychosocial de travail et la détresse psychologique. Ce modèle met en évidence des dimensions subjectives qui existent difficilement dans le travail par ignorance, déni, assujettissement ou effacement du sujet humain. Il suggère que l'existence tronquée du sujet crée un écart entre une représentation de soi que les travailleurs entretiennent et valorisent et celle qui leur est reflétée par les modes d'organisation du travail. Il propose ainsi de lire les symptômes de détresse psychologique comme les manifestations d'un deuil suscité par la perte d'une représentation de soi investie dans le travail. Les résultats de la recherche ont aussi permis de formuler une double orientation d'intervention conjuguant la prescription de réductions des contraintes, autant que faire se peut (orientation normative), et l'instauration d'un agir communicationnel (orientation participative). L'agir communicationnel vise le renouvellement des rapports sociaux de travail dans une éthique de collaboration propice à recréer une représentation de soi valorisée chez les travailleurs ainsi que la constitution de collectifs capables de faire face aux contraintes par la recherche des meilleurs compromis possible pour maintenir leur santé mentale.

La problématique

Les contraintes de l'environnement psychosocial de travail dont les effets néfastes sur la santé ont été le plus documentés sont celles couvertes par le modèle *demande-latitude* [1] et par le modèle *effort/reconnaissance* de Siegrist [2]. Le premier met l'accent sur la combinaison d'une *demande psychologique élevée* (la quantité de travail à réaliser, les contraintes de temps pour l'accomplir et les exigences intellectuelles requises) et d'une *latitude décisionnelle faible* (peu de possibilités de participer aux décisions concernant son travail, d'utiliser et de développer ses compétences et d'être créatif). Lorsque la combinaison « demande psychologique élevée et latitude décisionnelle faible » est présente dans une situation de travail et qu'elle est soutenue dans le temps, elle produit un état de tension psychologique (*job strain*) qui peut entraîner des problèmes cardiovasculaires, des troubles musculosquelettiques ou de santé mentale [1, 3]. Ces trois catégories de problèmes de santé sont les plus fréquentes, les plus invalidantes et les plus coûteuses dans la population en âge de travailler [4-6]. Concernant le modèle de Karasek, Johnson *et al.* [7] proposent, vers la fin des années 1980, le concept de *soutien social* au travail. Le soutien social réfère à l'ensemble des interactions sociales produites par les collègues et les superviseurs et jouerait un rôle modérateur des effets délétères du *job strain* sur la santé. Pour sa part, le modèle de Siegrist [2] repose sur le déséquilibre entre les efforts investis dans le travail et la reconnaissance obtenue en retour (le respect, l'estime, le contrôle sur son statut professionnel, les perspectives de promotion, la sécurité d'emploi et la rétribution salariale). Plus ce déséquilibre est accentué, plus les effets néfastes sur la santé sont présents [8, 9, 10].

Dans le domaine de la santé mentale, la présence de contraintes psychosociales est notamment associée à l'apparition de symptômes de détresse psychologique. Cette dernière est considérée comme un indicateur de problèmes plus graves qui peuvent se développer si des correctifs ne sont pas apportés. On relève dans les écrits scientifiques que la combinaison d'une demande psychologique élevée et d'une faible latitude décisionnelle au travail contribuerait à augmenter la détresse psychologique [1, 10, 11]. D'autres études ont montré une corrélation surtout entre la détresse psychologique et une demande psychologique élevée [12-17]. Quant à l'association entre le soutien social et la détresse psychologique, on constate que le soutien social au travail diminuerait le risque de développer des symptômes de détresse [18, 19]. D'autres auteurs ont mis en évidence que la présence de conflits au travail entre les collègues ou entre les travailleurs et les superviseurs était liée à la détresse psychologique [14, 20]. L'incertitude par rapport à l'emploi agirait aussi dans ce sens [14, 20], tout comme le déséquilibre entre les efforts fournis et les récompenses obtenues [8, 21, 22].

Les recherches portant sur les interventions préventives visant la réduction des contraintes psychosociales sont de plus en plus nombreuses. Toutefois, pour pouvoir intervenir à bonne fin, il faut bien comprendre ce qui affecte les travailleurs. Les résultats de la recherche présentée ici montrent par quels mécanismes les contraintes de l'environnement psychosocial de travail peuvent engendrer la détresse psychologique et comment orienter une intervention visant à améliorer les choses.

Le cadre d'analyse et l'objectif de recherche

Ridner [23] rappelle dans sa présentation du concept de détresse psychologique que ce dernier est analysé le plus souvent dans le champ des recherches portant sur le stress et la tension psychologique. En faisant notamment référence aux travaux de Selye [24], elle souligne comment on a distingué les concepts de détresse et de stress. Selye proposait, en effet, de considérer le stress comme un aspect indissociable de l'existence qui semble nécessaire pour assurer une croissance et un développement de l'individu dans son environnement (*eustress*). Le stress peut être alors positif ou négatif, en fonction de la perception qu'en a l'individu. Quant à la détresse, elle serait liée au stress dans la mesure où elle résulte d'une sollicitation excessive des capacités individuelles qui réagissent aux stress négatifs prolongés. La détresse est ainsi considérée comme le résultat des effets négatifs du stress sur l'individu. Elle se manifeste par des signes et des symptômes d'ordre physique (épuisement, perte d'énergie, fatigue, vertiges, tremblements, transpiration des mains, trouble du sommeil, perte d'appétit, problèmes cardiaques, etc.), psychologique (démoralisation, pessimisme, irritabilité, agressivité, troubles de l'humeur, etc.), émotionnel (peur, tristesse, haine, sous-estime de soi, etc.) ou comportemental (isolement, toxicomanie, etc.) ayant un impact sur le bien-être et la santé des travailleurs [23, 25-27]. Certains de ces signes et symptômes sont mesurés pour composer un indice de détresse psychologique chez des populations de travailleurs. Ce fut le cas dans la présente recherche où l'on a eu recours à un questionnaire validé, dérivé du *Psychiatric Symptom Index* [28, 29].

Dans le cadre d'une analyse critique des théories qui abordent le stress dans le champ de la santé au travail, Cooper, Dewe et O'Driscoll [30] partagent les idées qui précèdent en considérant la détresse comme le résultat d'une relation dynamique entre l'individu et son environnement. Pour eux, la détresse psychologique liée au travail peut aussi être associée à un certain nombre d'indicateurs comme la fatigue, l'insatisfaction au travail, la tension, l'anxiété, la confusion, l'irritation ou autres réactions. Celles-ci sont provoquées par les modes de supervision des travailleurs, le type et la charge de travail, les exigences de performance et de rentabilité, les relations avec les collègues, les conflits ou les modes de rémunération et de promotion. Ces auteurs proposent de recourir à des modèles d'analyse dynamique du stress qui vont au-delà des relations causales. Ils invitent à étudier la complexité des expériences et des processus cognitifs qui produisent la détresse ou d'autres problèmes plus graves. Plus précisément, ils proposent qu'on s'intéresse aux dimensions psychologiques sollicitées dans la rencontre de l'individu avec son environnement au sein d'un modèle dit « transactionnel » du stress.

La présente étude s'est inspirée en partie de cette réflexion et avait pour objectif de comprendre ce qui amène les travailleurs, dans l'expérience vécue du travail, à vivre de la détresse psychologique et à y faire face. Cet objet de recherche peut donc se révéler par l'intermédiaire du discours des travailleurs sur leur travail, sur les difficultés qu'ils rencontrent et leurs répercussions sur eux ainsi que sur les transformations qu'ils jugent nécessaires pour alléger leur fardeau lorsqu'ils sont aux prises avec les contraintes de l'environnement psychosocial de travail.

La méthode

Le devis de recherche est de type participatif. Il se situe dans le cadre d'un projet de recherche-intervention évaluative plus vaste, d'une durée de sept ans, plus précisément dans ses deuxième, troisième et quatrième années. Cette recherche participative a eu lieu dans un établissement[2] de service public comptant 1 700 travailleurs (cadres supérieurs, cadres intermédiaires, professionnels, techniciens, agents de la paix et personnel de bureau). Il est composé de cinq directions qui sont subdivisées en vingt unités administratives. Une unité administrative peut regrouper différents secteurs d'activité. Des participants ont été recrutés dans six unités administratives présentant une prévalence élevée de contraintes de l'environnement psychosocial de travail et un taux de détresse psychologique supérieur à celui de la population en général. Chacun des six groupes était composé de sept à quatorze participants volontaires.

2. Ce chapitre a été rédigé de manière à préserver l'anonymat du milieu partenaire de recherche.

Les participants[3] ont exploré qualitativement les thèmes suivants dans le cadre de cinq entretiens collectifs animés par deux chercheurs :

- contraintes de l'environnement psychosocial de travail ;
- manifestations de la détresse psychologique ;
- problèmes vécus au travail ;
- changements organisationnels capables de réduire les contraintes de l'environnement psychosocial de travail et de prévenir la détresse psychologique.

Les 30 rencontres (5 x 6 groupes) se sont échelonnées sur une période de 24 à 36 mois. Elles ont suivi le déroulement illustré au tableau 1. Il s'agit d'entretiens semi-dirigés de type *focus group* (groupe de discussion) pour les deux premières et les deux dernières rencontres. La troisième rencontre a été animée en suivant la technique du groupe nominal (TGN) [31]. En groupe nominal, les travailleurs ont énoncé des pistes de changement pour améliorer l'organisation du travail. Guidés par les chercheurs, ils ont en bout de processus voté pour en sélectionner cinq qu'ils jugeaient prioritaires, lesquelles ont ensuite été approfondies pour définir chaque énoncé selon trois paramètres : les personnes qui pouvaient participer à la réalisation ou à l'implantation du changement souhaité, les moyens nécessaires pour y parvenir et les délais raisonnables pressentis pour le voir apparaître.

À la suite des troisième et cinquième rencontres, des rapports consensuels, c'est-à-dire approuvés par tous les participants, ont été transmis au directeur de la division concernée par un groupe. Ce dernier a décidé de son utilisation. Tous les rapports ont circulé au sein du comité de gestion et du comité local d'organisation du travail (CLOT) de chacune des directions où des GROUPES ont eu lieu. Dans certains cas, les rapports ont été transmis à des gestionnaires intermédiaires. Tous ces acteurs avaient une res-

3. La forme masculine est utilisée dans le but d'alléger le texte et concerne des hommes et des femmes lorsque l'on fait référence à des personnes.

ponsabilité dans l'implantation de changements propices à l'amélioration de l'environnement psychosocial de travail.

Tout au long de la période où se sont tenues les rencontres de groupe (36 mois), les gestionnaires ont amorcé des changements organisationnels dans le but précis de réduire les contraintes de l'environnement psychosocial de travail dans le milieu. Tous les changements ont été consignés dans un registre d'interventions pour chacune des unités. Les changements mis en œuvre par les gestionnaires ont été reliés aux priorités d'intervention exprimées par les participants selon leur possibilité de répondre à leurs demandes.

L'analyse des données

Les données ont fait l'objet d'une analyse de contenu par catégorisation thématique [32, 33] et d'une interprétation selon l'approche mixte de Miles et Huberman [34]. L'ensemble de ce cheminement suppose :

1) un questionnement systématique sur les relations entre les contraintes de l'environnement psychosocial de travail et la détresse psychologique ainsi que sur les possibilités d'amélioration des situations de travail difficiles ;
2) la triangulation de données quantitatives et qualitatives disponibles pour la construction de catégories de sens ;
3) le codage progressif des catégories de sens selon leur rapport aux théories des contraintes de l'environnement psychosocial de travail et selon des catégories émergentes ;
4) la construction de descriptions et d'explications de la réalité explorée validées auprès des participants ;
5) la proposition par les chercheurs de modèles théoriques de la réalité vécue par les participants aux groupes de discussion.

TABLEAU 1

Résumé des étapes des rencontres de groupe

Temps 0 **Début de la période d'intervention**	**Recrutement** des participants aux groupes de discussion lors de présentations faites aux employés sur les résultats de la mesure des contraintes de l'environnement psychosocial.
Temps 0 + **8 semaines**	**1re rencontre** : Entretien collectif semi-dirigé (3 h à 4 h) animé par deux chercheurs et enregistré sur cassettes audio. La discussion a porté sur les difficultés liées à l'environnement psychosocial de travail.
	À la suite de la première rencontre, la discussion a été transcrite mot à mot. Chaque transcription a fait l'objet d'une analyse de contenu par catégorisation thématique [32, 33]. À partir de cette analyse, un rapport a été rédigé par les chercheurs.
Temps 0 + **14 à 16 semaines**	**2e rencontre** : Validation par les participants du rapport découlant de la première rencontre (2 h à 3 h).
Temps 0 + **6 à 9 mois**	**3e rencontre** : Entretien collectif (4 h) réalisé à l'aide de la technique du groupe nominal (TGN) [31] ayant pour but d'établir cinq pistes de solution prioritaires liées à l'amélioration de l'environnement psychosocial de travail. Au sortir de cette rencontre, un rapport a été écrit par les chercheurs. Ce rapport n'a pas été validé par les participants, car les priorités qui le composaient avaient été établies par eux.
Temps 0 + **10 à 13 mois**	Remise d'un rapport consensuel synthétisant les difficultés rencontrées et les priorités d'action élaborées par les participants accompagné d'un sommaire exécutif laissé au gestionnaire concerné. Ce dernier pouvait distribuer des copies aux personnes ou aux comités de son choix (gestionnaires, comité de gestion, comité local sur l'organisation du travail).
Temps 0 + **24 à 35 mois**	**4e rencontre** : Entretien collectif semi-dirigé (3 h) visant à évaluer qualitativement l'impact des transformations survenues durant la période d'intervention et l'ensemble de la démarche des groupes.
	La discussion de la 4e rencontre a été transcrite textuellement. Un résumé a été produit par les chercheurs.
Temps 0 + **25 à 36 mois**	**5e rencontre** : Validation, par les participants, du résumé de la 4e rencontre. Acheminement, au gestionnaire, d'un rapport consensuel validé.

Le travail d'analyse a été réalisé avec le logiciel N'Vivo 7 intégrant les transcriptions mot à mot des discussions issues des entretiens collectifs, les rapports consensuels et les rapports de groupes nominaux.

Les résultats et l'interprétation

Aux fins de ce chapitre, des résultats partiels de cette recherche sont présentés en deux parties. La première illustre le type de données collectées et les constats qui émergent dans l'ensemble des groupes. Ces constats permettent d'expliciter la relation entre les contraintes de l'environnement psychosocial de travail et la détresse psychologique. La deuxième partie porte sur les visées de changement que souhaitaient les participants.

Des contraintes à la détresse

Le type de travail est très diversifié d'un groupe à l'autre où l'on y trouve des agents de service à la clientèle, des personnes-ressources (psychologues, médecins, conseillers, secrétaires), des professionnels responsables des ressources internes, des préposés aux appels téléphoniques, des agents pivots d'information (API) et des commis aux finances[4]. Les contraintes de l'environnement psychosocial qui ont été mesurées chez ces travailleurs s'enracinent dans des situations difficiles décrites par les participants. Celles auxquelles ils réfèrent sont étroitement liées à la nature et au contexte de leur travail. Toutefois, dans tous les groupes, une tendance générale se dessine : des situations concrètes de travail mettent à mal des dimensions subjectives chez les travailleurs et c'est par l'intermédiaire de la subjectivité heurtée que se produisent des réactions associées à la détresse psychologique.

Les propos que tenaient les travailleurs dans tous les GROUPES révèlent huit dimensions subjectives mises à

4. Toutes ces appellations ne correspondent pas aux titres réels des emplois afin de préserver l'anonymat du milieu. Elles sont néanmoins descriptives du type de travail effectué par les participants.

l'épreuve : le sujet « humain », « en quête de valorisation et d'estime », « qualifié », « éthique », « libre », « vulnérable », « responsable » et « bâtisseur ». Les tableaux 2a et 2b présentent dans la première colonne un ensemble de situations désignées par les participants comme étant problématiques. La deuxième colonne spécifie les dimensions subjectives qui sont rencontrées et qui risquent de provoquer des manifestations de détresse psychologique. Par exemple, la dimension « qualifiée » peut être mise à l'épreuve par une prise de position des gestionnaires qui jugent que les problèmes organisationnels proviennent d'un manque de compétence des travailleurs ou qui expriment ouvertement leur méfiance envers eux. De ce fait, les travailleurs peuvent se sentir humiliés et démotivés ou développer de la méfiance ou de l'hostilité envers les gestionnaires. Il en est de même pour la dimension « éthique » qui peut être mise à l'épreuve par l'obligation de réaliser des tâches jugées inutiles, nuisant ainsi à ce qui est considéré comme prioritaire. Les travailleurs peuvent en concevoir du ressentiment, un sentiment d'impuissance ou d'inutilité.

Les diverses manifestations de la détresse psychologique répertoriées dans les propos des participants sont : de l'ordre du ressenti, à savoir se sentir impuissant, abruti par la charge, sous-estimé, désespéré, inutile, ridicule, non crédible, enragé, angoissé, écœuré, démotivé, humilié ; de l'ordre de la perte de contrôle, c'est-à-dire dépassé par les situations et fonctionnant un peu au radar, sous tension, sous pression ; de l'ordre du pessimisme en anticipant une détérioration sans fin de l'organisation du travail, en accumulant les déceptions, les frustrations ; de l'ordre du relationnel se traduisant par de la méfiance, de l'agressivité, de la retenue, de l'irritabilité, de l'hostilité, de la peur, de la nervosité ; de l'ordre physique par fatigue excessive, épuisement ou sensation d'usure ; et, finalement, du retrait, de l'isolement ou de l'enfermement sur soi. Ces manifestations de détresse sont souvent chapeautées par le fait de ne plus avoir de plaisir dans son travail, voire de le détester.

Tableau 2A
Contraintes de l'environnement psychosocial de travail enracinées dans des situations vécues et leur impact

Situations de travail vécues	Dimensions subjectives mises à l'épreuve
• Avoir trop de travail et devoir gérer continuellement des dossiers en mode urgence • Voir augmenter sa charge malgré des réorganisations successives pour la réduire, même en ajoutant du personnel • Faire de la gestion des dossiers en travaillant à la chaîne • Être encadré, structuré et contrôlé à l'aide de l'informatique	**Difficile existence** *De la dimension* ***humaine*** *du sujet qui* • A des forces, limites, intérêts, projets... • Se voit comme une personne et non pas un instrument de travail • Fait face à de réelles difficultés provoquant une détresse légitime
* * *	* * *
• Être évalué seulement par des critères quantitatifs • Rémunérer les travailleurs insuffisamment • Limiter les perspectives professionnelles • Ne pas souligner les points forts des travailleurs et revenir continuellement sur les erreurs	*De la dimension du sujet* ***en quête de valorisation et d'estime*** *par la* • Rétribution/reconnaissance • Rétroaction sur la qualité et l'utilité du travail accompli
* * *	* * *
• Se faire imposer des solutions pour résoudre des problèmes sans la participation des travailleurs • Devoir suivre une formation sans être consulté ou en dehors de ses intérêts • Ne pas pouvoir donner son opinion • Faire des propositions qui ne sont pas prises en compte, même quand elles sont sollicitées • Ignorer l'expérience et l'expertise • Solliciter l'avis de quelques travailleurs pour faire des changements qui en concernent un grand nombre	*De la dimension* ***qualifiée*** *du sujet qui veut* • S'exprimer librement • Participer activement aux transformations organisationnelles • Prendre part aux décisions qui concernent le travail • Être respecté selon son expérience, son expertise et ses compétences individuelles • Se traduire dans la diversité des façons de faire
* * *	* * *
• Être confronté à la détresse et à la souffrance des clients dans le travail • Devoir réduire le temps disponible pour échanger avec les clients • Poursuivre des objectifs de rentabilité à tout prix au détriment de la qualité du service aux clients • Composer avec des changements organisationnels successifs qui perturbent la qualité du travail	*De la dimension* ***éthique*** *du sujet qui cherche* • À accomplir son travail correctement à ses yeux, aux yeux du client et aux yeux de l'établissement • À se perfectionner pour mieux faire • À agir selon ses aspirations

Tableau 2B
Contraintes de l'environnement psychosocial de travail enracinées dans des situations vécues et leur impact

Situations de travail vécues	**Dimensions subjectives mises à l'épreuve**
• Façons de travailler uniformisées et dictées • Surveillance et contrôle serrés, avec ou sans l'aide de l'informatique • Activités et horaires imposés aux travailleurs contre leur gré • Pauses à rapporter systématiquement aux superviseurs • Droit de parole restreint	**Difficile existence** *De la dimension* ***libre*** *du sujet qui* • Ne peut pas gérer certaines de ses activités de façon autonome • Ne peut pas décider et poser certains gestes sans ressentir de la peur et sans craindre des représailles
* * *	* * *
• Échéanciers irréalistes imposés • Injonction de dernière minute • Délais de réalisation raccourcis, alors qu'ils sont déjà irréalistes • Rythmes de travail rapides sur une longue durée • Heures supplémentaires et travail apporté à la maison comme règle et habitude • Changements organisationnels trop fréquents, imposés et réalisés trop rapidement • Gestion de situations difficiles en solo et sans soutien • Accent mis sur les erreurs de travail et sur les sanctions	*De la dimension* ***vulnérable*** *du sujet qui* • A de la difficulté à reconnaître, faire reconnaitre et imposer ses limites • Est confronté à ses propres limites et est forcé de les dépasser continuellement • Est considéré comme « une machine », « un processeur » ou « un cheval de course » • Ne peut pas s'affirmer • Est démoli par la critique • Sous-estime son travail et ses capacités • Doute de la qualité de son travail et de la justesse des efforts fournis
* * *	* * *
• Relations interpersonnelles en mode parent/enfant • Contrôle infantilisant (devoir demander l'autorisation d'aller aux toilettes et de prendre une pause quand on en ressent le besoin) • Communication par courriel plutôt qu'en personne • Surdité face aux malaises et aux difficultés rencontrés • Absence de relations harmonieuses entre les travailleurs et les gestionnaires • Baisse de la convivialité (se dire bonjour, communiquer, etc.) • Horaires de travail fixes par manque de confiance du gestionnaire • Mode de gestion des travailleurs calqué sur un mode de gestion du matériel	*De la dimension* ***responsable*** *du sujet qui veut* • Être reconnu comme une personne singulière, mature, douée de discernement et de jugement • Se retrouver dans des rapports entre personnes adultes • Établir des relations harmonieuses avec les gestionnaires et les collègues • Être reconnu comme imputable (pas un numéro, une pièce dans une machine, une poubelle ou un bouche-trou)
* * *	* * *
• Bloquer ou ignorer un projet • Perdre de vue un dossier où on s'est investi • Ne pas voir son nom dans la liste des auteurs d'un document que l'on a écrit • Ne pas reconnaître la paternité d'une idée, d'un projet	*De la dimension* ***bâtisseur*** *du sujet qui* • A des projets, un idéal, des idées à partager • A des aspirations

L'analyse des témoignages des participants permet de concevoir qu'il y a certaines variantes dans la façon de mettre à l'épreuve les dimensions du sujet travailleur, dont une serait l'**ignorance**. Des participants déclarent à cet effet que des gestionnaires ou des collègues peuvent reconnaître en partie les difficultés dans un secteur d'activité, mais qu'ils ne s'en occupent pas: «Ils ignorent ou font semblant». Il y aurait aussi la variante du **déni**, c'est-à-dire que des gestionnaires nieraient la réalité ou se comporteraient comme si ce que les travailleurs vivent de difficile n'existait pas. Encore, les dimensions subjectives peuvent être trafiquées au sens où les travailleurs sont invités à adopter des positions subjectives qu'ils ne valorisent pas et à subir ainsi une forme d'**assujettissement**. Par exemple, on peut demander au travailleur d'adopter une distance par rapport au client alors que celui-ci se sent plus enclin à miser sur une bonne relation de proximité. Enfin, il y aurait un **effacement** des dimensions subjectives jusqu'à ce que le travailleur soit confondu avec une machine. Cela s'est révélé avec acuité dans le groupe des préposés aux appels téléphoniques dont le contrôle par l'informatique a été décrit comme de la domination d'une «machine à répondre», sans temps de repos. Bref, dans ce type de travail, il n'y aurait pas de sujet à l'appareil.

Les dimensions subjectives éprouvées donneraient lieu à des expériences de deuil. D'une part, il faut faire le deuil d'une partie de soi ou de représentations de soi engagées dans le travail lorsque ces dernières ne peuvent advenir comme on le voudrait: laisser tomber un idéal de service, ne pas être reconnu, ne plus se sentir d'appartenance... Il s'agit d'un deuil identitaire. D'autre part, il y a de multiples petits deuils à assumer: façons de faire à abandonner pour se mouler aux réorganisations, départs de collègues de travail, équipes détruites, convivialité envolée...

Les changements organisationnels souhaités

La deuxième partie des résultats traite des propos tenus par les participants sur les solutions à prioriser pour améliorer l'environnement psychosocial de travail. Rappelons que chaque groupe a établi cinq priorités de changement (ou d'intervention) en utilisant la technique du groupe nominal (TGN) lors de la troisième rencontre de discussion. Il est d'abord intéressant de montrer que la première solution votée est fort différente d'un groupe à l'autre.

- Chez les agents de service à la clientèle (ASC), la première priorité est de **stabiliser temporairement l'organisation du travail**. Dans cette unité, les réorganisations se seraient succédé à un rythme élevé et comme une autre restructuration majeure s'annonce, les participants se disent essoufflés et ils souhaitent l'arrêt des changements continuels.
- Dans le groupe des collaborateurs professionnels (CASC) (psychologues, médecins, conseillers), la priorité est d'**avoir du soutien technique, hiérarchique et médical pendant les périodes de surcharge et d'absence**. Bien que faisant partie de la même unité que les ASC, ces participants semblent moins touchés par les réorganisations et ils situent leur première priorité du côté des ressources d'appoint.
- Chez les commis aux finances (CF), la première chose à faire, selon eux, est de **choisir des gestionnaires qui ont des compétences humaines et de leur offrir de la formation pour gérer les ressources humaines**. Le malaise dans cette unité paraît plus diffus. Il cible les qualités des gestionnaires en place.
- Il en est de même chez les agents pivots d'information (API) où les participants estiment qu'il faut **augmenter les habiletés de l'ensemble des personnes qui composent la ligne hiérarchi-**

que (directeurs, gestionnaires intermédiaires, chefs de service, chefs d'équipe) : ces personnes devraient être à l'écoute, ouvertes et équitables, stimuler l'esprit d'équipe et se préoccuper de la santé des employés.

- Les préposés aux appels téléphoniques (PAT) demandent de **revoir en profondeur les modes de contrôle du travail**. Selon eux, le contrôle informatisé des appels (durée, nombre, contenu) impose un rythme infernal, compromettant sérieusement la qualité des réponses données aux clients.
- Quant au groupe des professionnels responsables des ressources internes (PRRI), la priorité numéro un est de **respecter les personnes**. Selon eux, le problème majeur est mis au compte d'un gestionnaire intermédiaire qui ne les respecterait pas.

Ces premières priorités mettent bien en évidence l'importance de prendre soigneusement le pouls d'une unité pour pouvoir intervenir lors de difficultés réelles. Quant à l'ensemble des trente priorités d'intervention retenues après les votes des participants aux GROUPES, elles sont présentées au tableau 3 sous six thématiques de changements visés. Leur apparition est en ordre d'importance, suivant le nombre d'énoncés qui s'y rapportent. Ainsi, la thématique la plus souvent mise en priorité concerne les moyens de faire et de bien faire son travail (11 énoncés). Sur ce point, les travailleurs attendent qu'on clarifie les tâches à réaliser et les responsabilités des acteurs, qu'on planifie des formations, qu'on cible une amélioration de la charge de travail ou qu'on ralentisse le rythme des changements effectués dans l'organisation du travail.

La reconnaissance, le respect des employés et l'appréciation adéquate de leur travail (7 énoncés) est la deuxième thématique en importance pour les travailleurs. Ils attendent ici qu'on accomplisse des gestes concrets pour reconnaître la qualité de leur travail et que les jugements des gestionnaires sur celui-ci soient accompagnés de rétroactions, de considération et de respect.

Suit un ensemble de priorités se rattachant aux attitudes, aux comportements et aux habiletés de gestion des supérieurs (6 énoncés). Les participants proposent, en effet, de cibler les compétences professionnelles et les qualités personnelles des gestionnaires et des cadres pour que les relations, leur contenu et leur forme, puissent être fondées sur certaines valeurs et sur certains principes comme la transparence, la justice, l'équité, l'égalité, la confiance, l'estime de l'autre, la disponibilité, le respect et l'intérêt pour le travailleur et son travail.

Viennent ensuite des priorités d'intervention relatives à la coopération entre les gestionnaires et les employés quant à l'organisation du travail (4 énoncés). Sur ce point, les participants soulignent la nécessité d'y jouer un rôle et de mettre en place un dispositif relationnel et communicationnel avec les gestionnaires qui leur permettent de jouer ce rôle.

Enfin, même si certains énoncés se trouvent qu'une fois sur la liste de priorités d'un groupe, ils ne peuvent néanmoins être négligés. C'est le cas des 4e et 5e priorités des préposés aux appels téléphoniques (PAT) qui rappellent la nécessité d'augmenter la latitude décisionnelle des travailleurs et le besoin de varier les tâches entre les périodes intenses de réponses aux appels.

Ces données démontrent que les quatre premières thématiques ciblent à la fois les aspects organisationnels du travail et les rapports sociaux. Elles illustrent l'ampleur du besoin de reconnaissance et de soutien social dans la ligne verticale (gestionnaires à employés) et du désir de coopérer avec les gestionnaires. De plus, même les thématiques qui se déclinent en moins d'énoncés renforcent la nécessité de bien saisir les besoins spécifiques des travailleurs comme objets d'intervention.

TABLEAU 3
Regroupement des priorités d'intervention des six groupes

Moyens de faire et de bien faire son travail

- Définir les processus, clarifier les tâches et informer sur ***qui fait quoi***.
- Revoir les tâches en simplifiant le travail puis en informer les intervenants.
- Revoir la description des tâches: les cadres devraient être conscients de la charge de travail des employés et avoir des attentes équitables et partagées.
- Avoir de la formation continue personnalisée et pouvoir bénéficier de l'expertise des collègues.
- Encourager les formations participatives et autodidactes.
- Obtenir des outils de travail appropriés.
- Embaucher plus d'agents de service à la clientèleé.
- Avoir des agents de service à la clientèle en ***support*** aux secteurs surchargés.
- Avoir du soutien (technique, hiérarchique et médical) pendant les périodes de surcharge et d'absence.
- Équilibrer la charge (en termes de quantité et de qualité) de travail et la réduire au besoin.
- Stabiliser temporairement l'organisation du travail (note explicative: les participants demandent de ne plus faire de changements prescrits de l'organisation du travail, car il y en a trop et ils sont épuisés de s'y conformer).

Reconnaissance et respect des employés, appréciation adéquate de leur travail

- Obtenir de la reconnaissance au travail.
- Considérer les goûts, les aptitudes individuelles, les compétences et les connaissances de l'employé avant de lui confier un travail.
- Avoir un programme de reconnaissance adapté aux employés.
- Respecter les personnes.
- Obtenir une reconnaissance concrète des supérieurs, tant pour les employés que pour les gestionnaires.
- Instaurer un contrôle de qualité (note explicative: dans cette unité, il n'y a pas de contrôle de qualité et les participants croient que ce serait un bon moyen d'avoir de la rétroaction sur leur travail).
- Revoir en profondeur les modes de contrôle du travail (note explicative: dans cette unité, il y a une équipe qualité, mais on se plaint qu'elle n'utilise que des critères quantitatifs pour apprécier la qualité du travail).

TABLEAU 3 (suite)

Regroupement des priorités d'intervention des six groupes

Attitudes, comportements et habiletés de gestion des supérieurs

- Choisir des gestionnaires qui ont des compétences humaines et leur offrir de la formation pour gérer les ressources humaines.
- Augmenter les habiletés de l'ensemble des personnes qui composent la ligne hiérarchique (directeurs, gestionnaires intermédiaires, chefs de service, chefs d'équipe) : ces personnes devraient être à l'écoute, ouvertes et équitables, stimuler l'esprit d'équipe et se préoccuper de la santé des employés.
- Obtenir plus de soutien, de confiance et d'occasions de validation du travail de la part du gestionnaire.
- Augmenter l'autonomie des chefs de service (note explicative : ces participants veulent que les chefs de service puissent prendre des décisions à ce niveau de gestion pour alléger le processus administratif).
- Encadrer le gestionnaire intermédiaire (note explicative : les participants de ce groupe considèrent que leur gestionnaire intermédiaire est inadéquat).
- Laisser les gestionnaires « gestionner » (note explicative : dans ce groupe, les participants considèrent que leurs gestionnaires n'ont pas les moyens ni la liberté pour faire leur travail de gestion).

Coopération gestionnaires/employés

- Consulter les travailleurs en ce qui concerne l'organisation du travail et les changements prévus.
- Préparer un plan de redressement avec tous les employés.
- Prévoir des rencontres individuelles et en groupe avec le gestionnaire.
- Améliorer les communications.

Latitude décisionnelle

- Privilégier et augmenter la latitude décisionnelle.

Diversification des tâches

- Favoriser la diversité des tâches dans le travail.

À partir des résultats présentés précédemment, il est maintenant possible de formaliser un modèle de lecture des relations qui interviennent entre les contraintes de l'environnement psychosocial de travail et les symptômes de détresse psychologique. Il est aussi possible de préciser les orientations d'intervention qui seraient le plus susceptibles d'améliorer la détresse psychologique.

Schéma 1

Un modèle de lecture des relations entre les contraintes de l'environnement psychosocial et la détresse psychologique

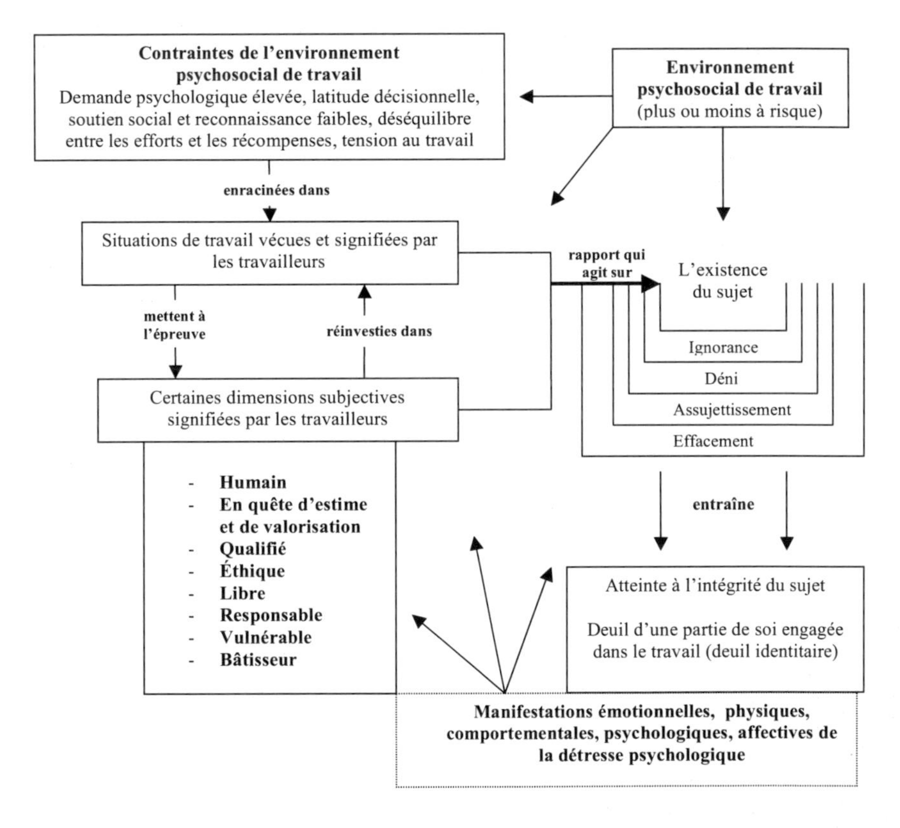

Source : L. Trudel, N. Vonarx, C. Simard, A. Freeman, M. Vézina, C. Brisson, A. Vinet, R. Bourbonnais et N. Dugas, « The adverse effetcs of psychosocial constraints at work. A participatory study to orient prevention to mitigate psychological distress ». *WORK. A journal of prevention, assessment and rehabilitation*. IOS Press (à paraître).

Le schéma 1 montre que les contraintes de l'environnement psychosocial de travail sont enracinées dans des conditions fort exigeantes et préoccupantes. Les situations vécues deviennent donc un ancrage solide, à « couleur locale », pour l'appréciation des risques et la projection de changements organisationnels. C'est à ces situations, dont ils font l'expérience au quotidien, que les travailleurs réfèrent pour partager leur vécu. Elles mettent à l'épreuve des dimensions du sujet dans la mesure où le travailleur engage une certaine représentation de lui-même sur la scène du travail et y tient avec plus ou moins de vigueur. Face à des règles, des codes, des idéaux, des manières de faire et autres facteurs d'encadrement, cette représentation de soi peut s'étioler ou être bafouée.

L'existence du sujet, de sa représentation de lui-même, est affectée par des situations où l'ignorance, le déni, l'assujettissement et l'effacement de dimensions engagées dans le travail détruisent les fondements de la personne. L'écart ou l'incohérence entre une représentation de soi-même valorisée et une nouvelle figure du sujet au travail inconfortable, voire malaisée, provoque chez le travailleur une atteinte à son intégrité.

Il se trouve ainsi sur la voie du deuil et des manifestations émotionnelles, physiques, psychologiques, comportementales ou affectives qui composent la détresse psychologique. En reflux, la détresse psychologique influence le regard sur les situations et l'engagement dans le travail. Il est donc plausible que la compréhension approfondie des relations entre les différentes composantes de ce modèle pour un groupe de travailleurs puisse fournir des orientations de changements organisationnels favorables à la diminution des risques psychosociaux et de la détresse psychologique.

Il faut constater que le modèle de lecture précédent fait une place importante à l'intégrité du sujet dans l'environnement psychosocial du travail. Il le fait en posant :

- que le sujet véhicule au travail une représentation de soi à laquelle il tient et qu'il engage subjectivement dans son travail;
- qu'à travers la recherche de reconnaissance, le sujet tend à conforter une représentation de soi valorisée;
- que les rapports avec l'environnement psychosocial peuvent mettre en jeu l'intégrité du sujet lorsque sa représentation de soi n'est plus valide ou que ce qu'il valorise n'a plus sa place;
- que l'atteinte à l'intégrité peut mettre le sujet en deuil d'une partie de soi, cela accompagné de manifestations de détresse psychologique ou autres problèmes de santé mentale plus graves.

Les mécanismes éclairés par ce modèle rejoignent de près l'interprétation donnée par Giust-Desprairies [35] sur la construction des identités et les malaises induits par la perte d'un contenu représentationnel dans un contexte de modernité. En se plaçant dans l'environnement organisationnel du travail, avec ses codes, ses repères, ses règles, etc., le travailleur à risque de développer un problème de santé mentale serait, en fait, confronté à une représentation de lui-même trop distante d'une représentation plus ou moins idéale à laquelle il se raccroche. L'écart entre ces deux pôles de représentation de soi met le travailleur en situation de déséquilibre, qu'il doit gérer pour éviter la maladie.

Giust-Desprairies [35] dit à cet effet:

> Quand l'écart se fait trop grand entre les investissements et les propositions de la société, si celle-ci perd en grande partie ses qualités d'étayage et de repérage pour une représentation identitaire suffisamment positive, l'individu est obligé d'en appeler à ses ressources propres [...]. C'est la foi en soi qui est ébranlée ou ravivée, et le champ social apparaît comme un objet à réinvestir, ou à porter sa marque, ou un objet qui se dérobe ôtant à l'individu la possibilité de se reconnaître lui-même et de s'aimer.

Il n'est donc pas étonnant que les travailleurs, face à un environnement de travail qui les engage à rompre avec une représentation d'eux-mêmes pour se reconstruire autrement dans un registre peu valorisant, rapportent dans leurs discours des préoccupations relatives à leur intégrité, au deuil et à la détresse. C'est parce que le travailleur s'inscrit comme sujet aux caractéristiques multiples dans un environnement de travail qu'une atteinte à l'identité est possible. Une atteinte à l'identité peut conduire à composer avec une partie de soi qui n'existe plus dans la dure réalité du travail, donc à une perte de ressources ou de ressorts pour affronter les difficultés. Comme d'autres processus de deuil induits par une rupture, le sujet manifeste des réactions de détresse. S'il devient impossible de trouver une représentation de soi valorisée, la détresse peut atteindre un degré de nocivité tel que l'équilibre mental bascule dans la maladie.

La référence à l'identité, dans un modèle qui explore les liens entre les contraintes de l'environnement psychosocial de travail et la détresse psychologique, est tout à fait justifiée puisque le travail s'avère un lieu important de socialisation et de construction identitaire. D'ailleurs, l'identité est considérée comme l'armature de la santé mentale dans les disciplines de la psychiatrie et de la psychologie [36]. Il en est de même en psychodynamique du travail, discipline qui tient aussi la construction identitaire pour pierre angulaire de la santé mentale au travail [37-39]. Donc, la précision des liens entre les contraintes de l'environnement psychosocial de travail et la détresse psychologique en termes d'atteinte à l'intégrité du sujet, de deuil et de manifestions psychologiques contribue au rapprochement des cadres théoriques du stress et de la psychodynamique du travail.

Cependant, la vulnérabilité de l'identité par rapport aux contraintes de l'environnement psychosocial de travail nécessite des interventions fort complexes en matière de prévention en santé mentale au travail. Placer le processus de construction identitaire au centre de préoccupations d'interventions organisationnelles pose un défi d'interfaces entre les aspects psychologique, social et organisationnel du travail. Car si l'atteinte à l'identité peut révéler la manière dont le travail induit la détresse psychologique chez l'individu, quelle forme l'intervention peut-elle prendre pour la contrer ? Certainement pas par l'ignorance, le déni, l'assujettissement ou l'effacement des dimensions subjectives s'il faut en croire les participants aux groupes dans cette étude. Ce serait plutôt, au contraire, par une reconnaissance des dimensions subjectives engagées dans le travail.

Cela suggère donc qu'une intervention visant la réduction de la détresse psychologique fasse une large place aux possibilités de faire advenir les dimensions subjectives (humaine, en quête de valorisation et d'estime, qualifiée, éthique, libre, responsable, vulnérable, bâtisseur), c'est-à-dire de les reconnaître, en considérant les travailleurs comme des interlocuteurs valables dans l'édification de l'organisation du travail. Car, comme ce modèle de lecture le propose, si le sujet travailleur n'a pas de place sur la scène du travail, s'il ne participe pas à l'organisation du travail, il en sera d'autant plus fragilisé sur le plan de la santé mentale. Ces points de discussion suggèrent en conséquence de porter une attention particulière à la reconnaissance, au sens large du terme, du sujet travailleur soucieux de construire son identité en participant à l'organisation du travail et non en la subissant.

Ce qui précède met en perspective la nécessaire complémentarité de deux orientations d'intervention : une de type normatif et une de type participatif. Sur le plan normatif, l'orientation se justifie par le plus grand nombre d'énoncés de changements souhaités qui ont trait à la recherche de façons de bien faire ou de mieux faire son travail. Certains changements ne peuvent s'accommoder que de prescriptions (ex. : réduction de quotas de production, octroi de marge de manœuvre, ajustement de délais de production, ajout de personnel, abandon de procédés inefficaces ou autres). Cependant, la présente recherche montre que les ingrédients propices au renouvellement des rapports sociaux de travail peuvent se trouver dans un contrat social de participation des travailleurs à l'élaboration de l'organisation du travail, fondée sur une compréhension fine de ce travail et déjouant le principe douteux que les gestionnaires détiennent les moyens de réduire les contraintes.

Cela fait ressortir comment le renouvellement des rapports sociaux de travail est probablement essentiel à la réduction de la détresse psychologique dans un milieu. Pour appuyer cette hypothèse, revenons aux demandes des participants visant à améliorer la reconnaissance et les relations gestionnaires/employés, soit les deux autres plus importants ensemble de demandes. Celles-ci sous-entendent un processus de discussion et de négociation des contraintes de travail, dans le cadre du travail, où les travailleurs sont des interlocuteurs valables, pour mieux faire face collectivement aux difficultés. Parce que ce serait dans cette dynamique que les sujets travailleurs auraient le plus de chance de se refaire une identité valorisée.

L'expérience des groupes de discussion invite à se centrer avant tout sur une compréhension fine du travail. Tout comme elle est essentielle pour que les chercheurs puissent expliquer comment se construisent les conflits ou les écarts entre les points de vue des travailleurs ou des gestionnaires, elle l'est pour dénouer ces situations problématiques. Et c'est sur la base de cette compréhension fine que peuvent s'imaginer des transformations pouvant réconcilier les visions divergentes de certains problèmes. Il s'agit, en fait, d'aller à la recherche des meilleurs compromis possible compte tenu des contraintes en jeux et des moyens disponibles pour y faire face. Les contraintes psychosociales vont émerger en parallèle de toute démarche de compréhension de l'activité de travail, car les nœuds psychosociaux se construisent autour d'une activité et d'une organisation du travail mal comprise. À titre d'exemple, c'est en comprenant la dure réalité de l'activité de travail épuisante cognitivement des préposés aux appels téléphoniques que l'on peut réviser à la baisse les contrôles qui font que les travailleurs se sentent comme des machines à répondre. Sans cette compréhension fine, l'organisation du travail prescrite peut faire fi du gros bon sens au nom de la productivité. Même des changements de gestionnaires successifs ne corrigeront rien tant que la compréhension du travail n'aura pas fait place à d'autres rapports sociaux où le sujet travailleur est remis en scène pour participer à l'organisation saine de son travail.

Ces réflexions nous rapprochent de la clinique de l'activité de travail inaugurée par Clot [40]. En effet, l'expérience de recherche vécue à travers les GROUPES incite à proposer de se centrer sur l'activité de travail comme ancrage propice au renouvellement des rapports sociaux. Car si on ne connaît pas bien le travail, comment l'organiser en conséquence et le reconnaître à sa juste valeur? Ainsi, une formule de groupe de discussion pourrait avoir la configuration suivante:

- faire appel à des groupes de discussion formés de travailleurs, de gestionnaires et de représentants des deux;
- se centrer sur l'analyse de l'activité de travail comme moyen approprié d'aborder les contraintes psychosociales;
- développer une éthique de coopération à implanter dans le quotidien du travail;
- miser sur l'investissement subjectif des travailleurs et des gestionnaires où les partenaires seraient à la recherche des meilleurs compromis possible de façon continue pour faire face collectivement aux difficultés.

Conclusion

À partir de données qualitatives contextualisées, cette recherche propose un modèle de lecture de la relation entre les contraintes de l'environnement psychosocial de travail et la détresse psychologique. Ce modèle démontre que les contraintes s'impriment dans des situations de travail où des dimensions subjectives chez les travailleurs sont mises l'épreuve à divers degrés. Cette mise à l'épreuve engendre un vécu subjectif de deuil d'une représentation de soi investie dans le travail et de certains modes de fonctionnement, décelable par des manifestations de détresse psychologique fort variables.

Ainsi, le défi de recherche-intervention découlant de cette compréhension de la relation entre les contraintes de l'environnement psychosocial de travail et la détresse se complexifie. Il suppose de viser le renouvellement des rapports sociaux de travail de manière à permettre la participation des travailleurs à l'élaboration de l'organisation du travail. Cette participation est pressentie comme une ouverture vers la reconstitution d'une représentation valorisée de soi et de son apport à l'établissement, tout en constituant un collectif capable de contrer les contraintes. Ce défi de recherche, en fonction des dimensions subjectives des travailleurs, est directement lié à des espaces collectifs de discussion où les travailleurs sont considérés comme des interlocuteurs valables, capables de penser le travail en coopération avec les gestionnaires. Il pourrait donc s'agir davantage d'un défi de recherche-action pour introduire un agir centré sur la communication (communicationnel) dans la culture d'organisation du travail.

À la suite d'Habermas, on peut dire qu'il importe de :

> mettre au point une éthique de discussion garantissant une authentique compréhension mutuelle. Ainsi, pour que l'intercompréhension soit possible il faut un discours sensé qui n'exprime ni intimidation ni menace et susceptible d'être admis par chacun comme valable. Ce qui se dessine ici est le modèle démocratique du consensus que prescrit la raison communicationnelle quand on l'applique au domaine politique[5].

Il ne s'agit donc pas d'étudier le rapport de l'individu à la chose travail, mais de saisir et d'orienter un processus complexe d'intercommunication empreint d'intersubjectivité.

5. http://perso.orange.fr/sos.philosophie/habermas.htm, p. 5.

Références

Karasek, R.A. et T. Theorell (1990). *Healthy Work: Stress, Productivity and the Reconstruction of Working Life*, New York, Basic Books.

Siegrist, J. (1996). « Adverse health effects of high-effort/low-reward conditions », *Journal of Occupational Health Psychology*, 1 (1), 27-41.

Karasek, R.A. (1976). *The Impact of the Work Environment on Life Outside the Job*, Stockholm, Institutet for Social Forskning.

Gabriel, P. et M. Liimatainen (2000). *Mental Health in the Workplace*, Genève, International Labour Organization.

Vézina, M. (1998). « La santé mentale au travail. Peut-il y avoir place à la lésion professionnelle ? », *Le Médecin du Québec*, 33 (4), 113-116.

Stansfeld, S.A., A. Feeney, J. Head, R. Canner, F. North et M.G. Marmot (1995). « Sickness absence for psychiatric illness : the Whitehall II study », *Social Science and Medicine*, 40 (2), 189-197.

Johnson, J.V., E.M. Hall et T. Theorell (1989). « Combined effects of job strain and social isolation on cardiovascular disease morbidity and mortality in a random sample of the Swedish male working population », *Scand J Work Environ Health*, 15, 271-279.

Siegrist, J. et R. Peter (2000). « The effort-reward imbalance model », dans P.L. Schnall, K. Belkic, P. Landsbergis et D. Baker (dir.), *The Workplace and Cardiovascular Disease*, Philadelphie, Hanley et Belfus, Inc., p. 83-87.

Siegrist, J., R. Peter, A. Junge, P. Cremer et D. Seidel (1990). « Low status control, high effort at work and ischemic heart disease : prospective evidence from blue-collar men », *Social Science and Medicine*, 31 (10), 1127-1134.

Niedhammer, I. et J. Siegrist (1998). « Facteurs psychosociaux au travail et maladies cardio-vasculaires : l'apport du modèle du Déséquilibre Efforts/Récompenses », *Rev Épidém et Santé Publ*, 46, 398-410.

Sutinen, R., M. Kivimaki, M. Elovainio et M. Virtanen (2002). « Organizational fairness and psychological distress in hospital physicians », *Scandinavian Journal of Public Health*, 30 (3), 209-215.

Murphy, J.M., R.R. Monson, D.C. Olivier, G.E.P. Zahner, A.M. Sobol et A.H. Leighton (1992). « Relations over time between psychiatric and somatic disorders : the Stirling County Study », *American Journal of Epidemiology*, 136, 95-105.

Dompierre, J., F. Lavoie et M. Pérusse (1993). « Les déterminants individuels, interpersonnels et organisationnels de la détresse psychologique en milieu de travail », *Canadian Psychology*, 34, 365-380.

Bultmann, U., I.J. Kant, P.A. Van den Brandt et S.V. Kasl (2002). « Psychosocial work characteristics as risk factors for the onset of fatigue and psychological distress : prospective results from the Maastricht Cohort Study », *Psychological Medicine*, 32 (2), 333-345.

Waldenström, K.L., I. Lundberg, M. Waldenström et A. Härenstam (2003). « Does psychological distress influence reporting of demands and control at work ? », *Occup Environ Med*, 60, 887-891.

Dollard, M.F., H.R. Wincfield, A.H. Winefield et J. de Jonge (2000). « Psychosocial job strain and productivity in human service workers : A test of the demand-control-support model », *J Occup Organ Psychol*, 73, 501-510.

Bourbonnais, R., R. Malenfant, M. Vézina, N. Jauvin et I. Brisson (2005). « Work characteristics and health of correctional officiers », *Revue d'épidémiologie et de santé publique*, 53 (2), 127-172.

Bourbonnais, R. (1994). « Organisation du travail et santé mentale chez les cols blancs », dans R. Malenfant et M. Vézina (dir.), *Plaisir et souffrance. Dualité de la santé mentale au travail*, Montréal, ACFAS, p. 141-158.

Harisson, M., C.G. Loiselle, A. Duquette et S.E. Semenic (2002). « Hardiness, work support and psychological distress among nursing assistants and registered nurses in Quebec », *Journal of Advanced Nursing*, 38 (6), 584-591.

Quick, J.C., L.R. Murphy, J.J. Hurell et D. Orman (1992). « The value of work, the risk of distress and the power of prevention », dans J.C. Quick, L.R. Murphy et J.J. Hurell (dir.), *Stress and Bell-being at Work : Assessments and Interventions for Occupational Mental Health*, Washington, American Psychological Association, p. 3-13.

Stansfeld, S.A., R. Fuhrer, M.J. Shipley et M.G. Marmot (1999). « Work characteristics predict psychiatric disorder : prospective results from the Whitehall II study », *Occupational and Environmental Medicine*, 56, 302-307.

de Jonge, J., H. Bosma, R. Peter et J. Siegrist (2000). « Job strain, effort-reward imbalance and employee well-being : a large-scale cross-sectional study », *Social Science and Medicine*, 50, 1317-1327.

Ridner, R. (2004). « Psychological distress : concept analysis », *Journal of Advanced Nursing*, 45, 536-545.

Selye, H. (1976). *Stress in Health and Disease*, Boston, Butterworths.

Quick, J., J. Quick, D. Nelson et J. Hurrell (1997). *Preventive Stress Management in Organizations*, Washington (DC), American Psychological Association.

Smith, C.S., L.M. Sulsky et K.L. Uggerslev (2002). « Effects of job stress on mental and physical health », dans J.C. Thomas et M. Hersen (dir.), *Handbook of Mental Health in the Workplace*, Thousand Oaks (Calif.), Sage Publications, p. 61-82.

Mirowsky, J. et C.E. Ross (2003). *Social Causes of Psychological Distress* (2e éd.), Hawthorne (N.Y.), Aldine de Gruyter.

Ilfeld, F.W. (1976). « Further validation of a psychiatric symptom index in a normal population », *Psychological Reports*, 39, 1215-1228.

Préville, M., R. Boyer, L. Potvin, C. Perreault et G. Légaré (1992). *La détresse psychologique : détermination de la fiabilité et de la validité de la mesure utilisée dans l'enquête Santé Québec*, vol. 7, n° 54, Montréal, Santé Québec.

Cooper, C.L., P. Dewe et M.P. O'Driscoll (2001). *Organizational Stress: A Review and Critique of Theory, Research, and Applications*, Thousand Oaks (Calif.) et Londres, Sage.

Ouellet, F. (1987). «L'utilisation du groupe nominal dans l'analyse des besoins», dans J.-P. Deslauriers (dir.), *Les méthodes de recherche qualitative*, Sillery, Presses de l'Université du Québec, p. 67-80.

L'Écuyer, R. (1987). «L'analyse de contenu: notion et étapes», dans J.-P. Deslauriers (dir.), *Les méthodes de la recherche qualitative*, Sillery, Presses de l'Université du Québec, p. 49-65.

L'Écuyer, R. (1990). *Méthodologie de l'analyse développementale de contenu*, Québec, Pressses de l'université du Québec.

Miles, M.B. et M. Huberman (2003). *Analyse des données qualitatives* (2e éd.), Paris, De Boeck Université.

Giust-Desprairies, F. (1996). «L'identité comme processus, entre liaison et déliaison», *Éducation permanente*, 128, 63-70.

Dejours, C. (dir.) (1993). «Travail et usure mentale», dans *De la psychopathologie du travail à la psychodynamique du travail*, Paris, Bayard Éditions.

Alderson, M. (2004). «La psychodynamique du travail et le paradigme du stress: une saine et utile complémentarité en faveur du développement des connaissances dans le champ de la santé au travail», *Santé mentale au Québec*, 29 (1), 257-276.

Vézina, M. (2000). «Les fondements théoriques de la psychodynamique du travail», dans M.-C. Carpentier-Roy et M. Vézina (dir.), *Le travail et ses malentendus. Enquêtes en psychodynamique du travail au Québec*, Québec, Les Presses de l'Université Laval et Octares Éditions, p. 29-41.

Dejours, C. (1995). *Le facteur humain*, Paris, Presses universitaires de France, p. 29-41.

Brun, J.-P. et N. Dugas (2005). «La reconnaissance au travail: analyse d'un concept riche de sens», *Gestion*, 30 (2), 79-88.

Carpentier-Roy, M.-C. (1995). «Anomie et recrudescence des problèmes de santé mentale au travail», *Santé mentale au Québec*, 20 (2), 119-138.

Chapitre 4

Dialoguer sur la souffrance des soignants : pourquoi est-ce si difficile ?

Georges A. Legault, professeur associé
à la Faculté de droit,
Université de Sherbrooke

La souffrance des soignants peut-elle être un objet de dialogue ? Est-il possible d'éviter sa répression dans un silence intérieur lorsque nous faisons face aux autres qui réagissent à notre parole ? Pour amorcer notre réflexion sur ces questions, je propose une démarche en trois temps. Dans le premier, nous allons approfondir la notion de dialogue afin de bien saisir les exigences de ce mode de communication qu'il ne faut pas confondre avec le simple échange communicationnel. Dans le deuxième, nous verrons que ces exigences transforment le dialogue complètement réussi en un événement exceptionnel. Par contre, nous verrons aussi que même s'il est rarement complètement réussi, il vaut toujours la peine d'être amorcé. Enfin, dans le troisième temps, nous pourrons mieux comprendre en quoi la souffrance des soignants est un sujet très éprouvant pour les participants au dialogue et que, de ce fait, il impose des contraintes supplémentaires.

Qu'est-ce que le dialogue ?

Dans son sens usuel, le dialogue se définit comme un échange entre deux ou plusieurs personnes, un échange de paroles et d'idées sur un thème quelconque. Nous savons tous d'expérience qu'il ne suffit pas d'échanger des idées pour qu'un vrai dialogue existe. Deux personnes peuvent échanger des idées sans s'écouter attentivement. Autrement dit, deux monologues ne font pas un dialogue. Nous devons au philosophe Francis Jacques[1] la mise en lumière de la spécificité d'un vrai dialogue comparativement à d'autres formes d'activité communicationnelle. N'oublions pas que le XXe siècle a été très prolifique en réflexions sur la langue et le langage. Dès le début, on voit apparaître la linguistique avec Ferdinand de Saussure. Quelques années plus tard, la philosophie anglo-saxonne, influencée par le langage mathématique, fait le tournant linguistique et on analyse le sens des mots, les énoncés de faits, les normes et les énoncés de valeurs. Françoise Dolto résumera en un titre la pensée de ce siècle : *Tout est langage*[2]. Le philosophe Habermas portera sa réflexion, tout comme l'avait fait Perelman[3] avec sa nouvelle rhétorique, sur la communication d'un orateur sur un auditoire. Il fera de l'activité communicationnelle le lieu de l'homme. Alors qu'Aristote disait que l'homme était un être rationnel, donc social, Habermas[4] dira que l'homme est un être de langage, donc social.

1. Francis Jacques, *L'espace logique de l'interlocution*, Paris, Presses universitaires de France, 1985, 639 p. ; *Dialogiques : recherches logiques sur le dialogue*, Paris, Presses universitaires de France, 1979, 422 p.
2. Françoise Dolto, *Tout est langage*, Paris, Vertiges, Carrere, 1987, 131 p.
3. Chaïm Perelman, *Le champ de l'argumentation*, Bruxelles, Presses universitaires de Bruxelles, 1970, 408 p.
4. Jurgen Habermas, *Théorie de l'agir communicationnel*, Paris, Fayard, 1987, tomes 1 et 2.

Une première question peut se poser pour certains d'entre vous. Pourquoi parler d'activité communicationnelle et pas seulement de communication? La raison est simple lorsqu'on regarde de plus près non pas ce qui est dit, mais la relation que la communication crée entre les participants. Parler n'est jamais neutre. Parler, c'est entrer en relation avec une ou plusieurs personnes où l'échange de parole aura un impact sur les autres. Parler à quelqu'un, c'est toujours produire un effet sur lui. Par exemple, exprimer sa souffrance à un autre n'est pas qu'une simple communication de quelque chose, puisque cela aura un impact sur lui, voulu ou involontairement désiré.

Réfléchissant aux effets sur les participants recherchés en communication, Francis Jacques trace trois grandes formes d'activité communicationnelle: *la persuasion*, *l'argumentation* et *le dialogue*. Regardons ce qui caractérise chacune.

La persuasion. Depuis l'Antiquité grecque, la rhétorique était au cœur de l'apprentissage du citoyen. Comment donc arriver à influencer le débat public sinon en essayant de persuader les autres de la valeur de sa position. Lorsque nous cherchons à persuader quelqu'un, nous utilisons tout ce que nous savons de lui pour tenir un discours qui le conduira à accepter notre idée. Que l'on pense à la publicité ou aux campagnes électorales, nous sommes en présence de formes d'activité communicationnelle qui visent à «amener une personne à accepter notre idée sur un sujet». Lorsqu'on cherche à persuader, toutes les paroles sont permises, de la séduction à la menace. Dans la persuasion, on fait souvent appel aux émotions, car nous savons comment elles jouent un grand rôle dans nos façons d'agir et de prendre des décisions.

L'argumentation. À la suite de la mort de Socrate, qui avait été condamné à boire la ciguë, Platon a pourfendu la rhétorique, car il jugeait que son maître avait été injustement accusé avec de faux arguments. Pour contrer la force de la persuasion, il a proposé la recherche de la vérité. En établissant une différence entre «croyance», qui est l'objet de la persuasion, et «savoir», qui est l'objet de la connaissance du vrai, il a soutenu que seule la vérité fondée sur des arguments solides devait être l'objet du dialogue. Tous les dialogues platoniciens mettaient en scène des personnes qui recherchaient le vrai à travers la critique des «opinions». La notion de vérité a beaucoup changé depuis l'Antiquité grecque et, aujourd'hui, un auteur tel Habermas propose plutôt de parler du meilleur argument disponible.

Dans l'activité communicationnelle de l'argumentation, les personnes seront influencées par la force rationnelle des arguments proposés et non par les sentiments ou les émotions. Le plus bel exemple de cela est le tribunal. Dans une cause présentée devant un juge, les avocats soumettent des arguments légaux pour soutenir leurs points de vue. Les ayant entendus, le juge doit établir quels sont les meilleurs pour juger la cause, c'est-à-dire ce que nous nommons les «motifs» d'un jugement, les raisons qu'il soutient pour justifier rationnellement sa décision. Le débat d'idées, notamment avec la critique des pairs pour ce qui est de la publication d'articles, est un autre exemple.

Le dialogue. Comparativement aux deux autres formes d'activité communicationnelle qui se concentrent sur la manière d'influencer autrui par la parole, le dialogue se caractérise plutôt comme un processus par lequel les participants arrivent à coconstruire une réponse à une question théorique ou à une décision pratique. Il se définit par la coélaboration de sens, puisque les participants visent à trouver la «meilleure réponse possible» à la question théorique ou pratique dans un contexte donné. En tant que processus, le dialogue se divise en deux volets. Il doit d'abord porter sur la finalité. Autrement dit, les participants doivent en déterminer le but. Est-ce pour répondre à un problème concret? Est-ce pour répondre à un problème théorique? Si oui, il faut que tous s'entendent sur le libellé du problème ou de la question. Or, le dialogue échoue souvent parce qu'ils n'arrivent pas à une finalité commune. Ensuite, il faut que tous collaborent pour trouver la meilleure réponse possible à la question : meilleure sur le plan rationnel et meilleure sur le plan émotif (acceptable et viable).

Le dialogue complètement réussi : un événement exceptionnel

Ce n'est pas parce que nous affirmons que le dialogue complètement réussi est un événement exceptionnel que cela lui enlève de la valeur. Au contraire, cette affirmation vise à mettre en évidence qu'il est un processus et comme tout processus, il est rarement parfaitement réussi. Un processus prend du temps et c'est avec le temps que les participants vont de mieux en mieux dialoguer ou réaliser leur impasse. Isolons quelques facteurs qui rendent le processus du dialogue si fragile.

La confiance : le dialogue, avons-nous spécifié, est un processus engageant tous les participants et visant une finalité commune. Comme dans toute entreprise de coopération, les participants doivent avoir une confiance réciproque. Si nous craignons que l'autre profite de ce que nous allons dire pour ensuite le retourner contre nous, jamais nous livrerons le fond de ce que nous pensons. La difficulté de faire confiance aux autres est un des facteurs qui rend la relation dialogique fragile. L'absence de confiance fragilise toute relation, qu'elle soit professionnelle ou personnelle. Nous savons tous que la confiance se mérite. Nous la donnons graduellement et nous la retirons dès le premier soupçon. Ce va-et-vient de la confiance est au cœur des difficultés du dialogue.

La capacité de compréhension du point de vue de l'autre : tout comme pour l'argumentation, le dialogue exige des participants qu'ils puissent comprendre le point de vue de l'autre. Idéalement, il faudrait que chaque participant soit capable de dire dans ses propres mots ce que l'autre dit. Il y a une grande différence entre « entendre », qui est de l'ordre physique de l'oreille, « comprendre », qui veut dire prendre avec soi le point de vue de l'autre, et «accepter» le point de vue de l'autre, qui signifie reconnaître que nous partageons le même. Il arrive souvent, dans l'argumentation comme dans le dialogue, que les personnes ne comprennent du point de vue de l'autre que ce qu'elles veulent afin de l'attaquer. Dans le dialogue, la contrainte est de bien comprendre. Une fois cela accompli, il ne s'agit pas d'accepter ou de refuser la position de l'autre, mais de voir en quoi elle peut apporter une solution au problème commun.

La capacité d'apporter des éléments pour faire avancer la coélaboration de sens: ce qui distingue le dialogue de l'argumentation est justement le fait qu'il n'y a pas un argument qui est plus fort et qui permet de trouver LA meilleure solution au problème. La complexité des questions théoriques et pratiques nous met en présence d'une pluralité d'arguments qui vont tous donner un éclairage partiel des enjeux. On ne peut jamais entrer en dialogue si on pense avoir LA Vérité, car si on a La Vérité, on va chercher à l'imposer et non à dialoguer. Toute personne qui a une opinion fondée sur quelque chose croit en la valeur de ce qu'elle pense. Il est normal, alors, que dans un dialogue, on trouve des arguments et des discussions sur ce qui valide une position. Le dialogue puise dans différents arguments, mais le danger est que des personnes tiennent tellement à leurs idées qu'elles ne veulent pas en démordre. Le dialogue exige donc de l'humilité, c'est-à-dire la capacité pour une personne de reconnaître la limite de sa position et, surtout, que l'enjeu n'est pas d'être reconnu personnellement. Toutes les personnes ont la même importance dans un dialogue, peu importe leur contribution à l'avancement du processus. Chacune est un élément de la solution, laquelle on cherche à élaborer ensemble. Le contenu de ce qui est dit doit donc contribuer à faire avancer le dialogue sur un point particulier.

La capacité réflexive des participants: le dialogue est très exigeant, car il demande à chacun des participants de réfléchir à sa pratique langagière au fur et mesure de sa participation. Puisque la façon de prendre la parole aura un impact sur le processus dialogique, chacun doit penser non seulement au contenu de son apport, mais aussi aux conséquences de sa façon de dire et d'agir (le non-verbal) sur l'ensemble du processus. Pourquoi je dis ceci ? Pourquoi j'insiste ? Pourquoi je me tais ? Qu'est-ce que je ressens face à la parole de l'autre et comment cela a-t-il un impact sur ma manière de dialoguer ? Sans cette capacité réflexive, il n'y aura pas d'autorégulation du dialogue.

Il est facile d'imaginer comment chacune des exigences dialogiques que nous venons d'esquisser peut être déployée en différents comportements et attitudes attendus des participants au dialogue. De plus, si nous en gardons une approche statique et comptable, nous tomberons facilement dans une approche cynique et nous proclamerons alors que le dialogue est une mission impossible. Mais n'oublions pas qu'il est un processus et comme tel, il s'évalue comme étant plus ou moins réussi et non de façon binaire comme étant réussite ou échec. Tel tout processus, le dialogue est un lieu d'apprentissage. On apprend à parler et on apprend à dialoguer. C'est dans l'exercice du dialogue et à travers les expériences que la confiance, la capacité de compréhension du point de vue de l'autre, la capacité d'apporter les éléments visant la coélaboration de sens et la capacité réflexive vont se développer et faire de cette expérience un lieu de développement de la compétence éthique que Johane Patenaude[5] attribue au dialogue.

Dialoguer sur la souffrance des soignants : contraintes supplémentaires

Dialoguer est rarement facile et sur des sujets épineux, ce l'est encore moins. Dans le cas de la souffrance des soignants, en quoi peut-elle soulever des contraintes supplémentaires au dialogue. Or, les enjeux qu'elle présente ont des répercussions sur les deux volets du processus dialogi-

5. Johane Patenaude, *Le dialogue comme compétence éthique*, Thèse de doctorat, Université Laval, https://www.usherbrooke.ca/cirea/documentation/theses_doc.html.

que, soit celui de la détermination de la finalité du dialogue, soit celui de l'actualisation du dialogue. Voyons de plus près comment ils s'en trouvent touchés.

La finalité du dialogue

Comme nous l'avons mentionné en précisant les caractéristiques du dialogue, il faut au départ que les participants s'entendent sur le but recherché. Pourquoi dialoguer ? Quoi obtenir avec ce processus ? Quelle réponse à quelle question ? Pour dialoguer sur la souffrance des soignants, encore faut-il que celle-ci pose un problème et que, collectivement, ils tentent de trouver une solution à ce problème.

Nous savons tous d'expérience que les personnes ont tendance à ne pas reconnaître aisément qu'elles ont un problème. Albert Camus illustre très bien cela dans son roman *La Peste*. Il montre comment les gens concernés tentent d'esquiver leur problème en évitant de lui donner un nom : la peste. Le nommer est difficile parce que ce fait oblige à intervenir, mais sans problème, nul besoin de recherche de solution.

Dans cette tension dialogique de reconnaissance et d'évitement, les participants auront tendance à ramener le problème à un niveau individuel : le soignant qui souffre devrait trouver la solution à son problème. Il est difficile de nier qu'on est là au cœur du conflit : la souffrance du soignant. L'enjeu dialogique n'est pas de reconnaître le fait de la souffrance, mais de la qualifier. Est-elle d'ordre individuel, professionnel ou institutionnel ?

Soigner, c'est toujours faire face à la souffrance. Pour le meilleur, lorsqu'on peut effectivement guérir la personne ou la soulager. Pour le pire, lorsqu'on l'accompagne, impuissant, sans promesse de guérison ou de rémission et ne pouvant faire plus pour alléger sa douleur. Toute relation de soins exige des personnes qu'elles soient prêtes à vivre, jour après jour, avec la souffrance de l'autre et à subir quelques fois les sautes d'humeur qu'elle engendre chez le soigné. Il n'est pas étonnant que dans notre passé, pas si lointain, la relation de soins était perçue comme relevant de la vocation religieuse ou quasi religieuse et qu'elle était motivée principalement par la charité. C'est en puisant dans l'univers symbolique du don et de la reconnaissance divine que les personnes pouvaient trouver la motivation pour bien remplir leur mission. Dans ce monde religieux, on référait au sens de la souffrance humaine ainsi qu'à la « grâce d'état » qui était attribuée aux personnes pour qu'elles puissent accomplir leur devoir dans des contextes difficiles, et ce, sans se détruire.

Si j'ai pris cet exemple, c'est pour illustrer deux aspects fondamentaux d'une relation de soins. En premier lieu, un engagement soutenu des personnes soignantes qui doivent avoir une motivation forte pour accomplir, jour après jour, les gestes exigés. En second lieu, le risque d'un effet destructeur sur ces personnes. Quel impact peut avoir le fait de côtoyer la souffrance des autres, leur désespoir et, souvent, le peu de soulagement obtenu ? À défaut de donner un sens à la relation de soins ainsi qu'à la souffrance, tout cela ne devient-il pas absurde ?

De ce point de vue, la souffrance des soignants apparaît essentiellement comme étant un problème personnel. Il s'agit de tel soignant qui vit bien la relation de soins et de tel autre qui est trop affecté par ce qu'il voit au quotidien. Lorsqu'on qualifie ainsi le problème, on le pose souvent comme une question de « capacité des soignants de faire face aux difficultés inhérentes à leur fonction ». On est capable ou on ne l'est pas. Tout comme un policier ou un pompier doit être capable d'affronter la violence des personnes ou celle des éléments naturels, le soignant doit être capable d'affronter la souffrance. Certains vont dire : « On est fait pour cela, sinon on y va pas. »

Si le problème est perçu comment étant essentiellement individuel et psychologique, alors le dialogue portera, d'une part, sur le choix des candidats et sur les mécanismes d'embauche ou de formation pour s'assurer de leur capacité à vivre la souffrance d'autrui et, d'autre part, sur les moyens à prendre lorsque les personnes qui étaient capables en viennent à ne plus être capables de vivre la relation de soins sans être trop affectées.

Mais la souffrance des soignants n'a pas qu'une dimension personnelle, car la capacité ou non de vivre en présence de la souffrance affecte la relation de soins elle-même. La souffrance des soignants peut alors apparaître tel un enjeu de sa qualité. En effet, la qualité de la relation de soins dépend de plusieurs facteurs : la connaissance théorique et pratique à mobiliser dans les gestes de soins ; la capacité de diagnostiquer le besoin de l'autre derrière l'expression de sa souffrance ; la capacité de juger de l'action la plus efficace pour soigner la personne dans le contexte. Pour accomplir la relation de soins, il faut donc trouver l'équilibre entre la sensibilité envers la personne et son besoin de soins tout en maintenant la distance qui permet de ne pas prendre sur soi la souffrance de l'autre. Sans cette harmonie, la relation de soins sera soit teintée d'une trop grande distance et donnera l'apparence de soins déshumanisés, soit prise dans l'ordre de l'amitié où la souffrance de l'autre fera partie de la nôtre.

Lorsque le problème est posé en termes d'impact de la souffrance des soignants sur la qualité de la relation de soins, il peut générer deux types de dialogue. Le premier touche la responsabilité légale des soignants et des institutions. Rappelons tout simplement que dans plusieurs codes de déontologie, on oblige les professionnels à s'abstenir de poser un acte professionnel s'ils jugent qu'ils sont dans un état qui peut nuire au patient. Alors, si le dialogue se fait sur la responsabilité légale des professionnels et des institutions, le seul enjeu sera celui de trouver les moyens d'éviter les poursuites légales en dommages et intérêts en cas de faute. N'oublions pas que dans la logique légale qui est un mode binaire, faute ou pas faute, l'analyse de l'impact de la souffrance des soignants sur la qualité des soins sera limitée aux cas graves où il y aura une possibilité de poursuite pour faute professionnelle ou dommages occasionnés dans la relation de soins.

La question de la qualité des soins peut être vue dans sa dimension éthique plutôt que dans ses dimensions légale et déontologique. Rappelons que l'éthique se distingue du droit parce qu'elle est essentiellement de l'ordre de l'exhortation, c'est-à-dire qu'elle vise à encourager les personnes à améliorer constamment la qualité de leurs relations de soins. Elle ne pose pas le problème de la faute, mais celle de la responsabilité de tous de prendre les moyens disponibles pour faire la meilleure chose possible dans les circonstances. L'éthique n'est donc pas binaire comme le droit. L'évaluation éthique se fait en plus ou en moins. L'analyse de la souffrance des soignants s'effectue de manière à comprendre comment elle peut réduire la qualité des soins et comment nous pourrions améliorer la situation, si possible. Or, dans la mesure où le dialogue sur l'éthique de la relation de soins conduit à des responsabilités autres pour les personnes et les institutions, il est souvent beaucoup plus facile de le limiter à un problème juridique.

La relation de soins, en tant que relation professionnelle ou de service, fait partie d'une institution qui encadre les pratiques de soins. La souffrance des soignants soulève donc des enjeux institutionnels. Puisque la relation de soins se fait dans le cadre des politiques institutionnelles, le problème de la souffrance des soignants pourrait aussi être analysé du point de vue des conditions réelles de la relation de soins dans les organisations. On pourrait dès lors y comprendre tout un volet organisationnel. Autrement dit, le dialogue porterait sur l'impact des conditions de travail dans les organisations sur la souffrance des soignants. Il suffit d'énoncer un tel problème pour réaliser que peu d'organisations auront le courage de l'entamer sur cet enjeu.

L'actualisation du dialogue

La thématique de la souffrance des soignants pose aussi certaines contraintes supplémentaires au dialogue, notamment en ce qui a trait à la confiance, à la capacité de la compréhension du point de vue de l'autre et à la pratique réflexive.

a) La confiance

Qui ose parler aisément de sa souffrance ? En réalité, on en parle rarement, on l'avoue. Dans le fait de dire à l'autre que l'on souffre, il y a presque toujours un aveu de faiblesse, qu'on n'est pas à la hauteur. De plus, comment peut-on parler de sa souffrance si on ne sait pas de quelle façon l'autre nous accueillera ? La relation dialogique repose sur une capacité d'accueil de toutes les paroles, sans jugement des personnes. Or, en contexte de travail, ce degré de confiance existe-t-il ? Si j'ose parler de ma souffrance, cela ne risque-t-il pas de se tourner contre moi ?

Comme nous l'avons déjà mentionné, lorsque la parole de la souffrance entre dans le dialogue, il faut savoir si toutes les personnes poursuivent la même finalité du processus. Si ce n'est pas le cas, une parole échangée dans un contexte peut très bien être reprise dans un autre. Par exemple, l'aveu de sa souffrance dans un dialogue qui se veut être celui du soutien à la relation professionnelle pourrait être utilisé dans un contexte de « risque professionnel » et voué à une toute autre interprétation. Ce « risque » menace la confiance de base.

L'absence de confiance aux autres provoque nécessairement la répression de la souffrance dans le jardin secret du soignant.

b) La capacité de compréhension du point de vue de l'autre

La capacité du soignant-participant au dialogue de comprendre la souffrance de l'autre soignant dépend essentiellement de sa propre compréhension de la souffrance dans les relations de soins. Quelle est notre position devant la souffrance d'un soignant ? Comment réagissons-nous quand un soignant nous parle de sa souffrance dans sa relation de soins ? Est-ce que nous pensons spontanément qu'il a des problèmes « personnels » ? Autrement dit, est-ce que nous pensons que le fait qu'il souffre dans sa relation de soins est le signe d'un problème ou d'une faiblesse psychologique et que, dès lors, ce soignant doit être aidé ? Peut-être pensons-nous, au contraire, que la souffrance du soignant est inhérente à toute relation de soins à cause de la présence de la souffrance d'autrui au quotidien. En effet, voir jour après jour sur les visages et sur les corps les ravages de la souffrance malgré les soins prodigués ne peut laisser indifférent. Parce que la souffrance est inhérente à l'agir, il faut donc qu'elle puisse être verbalisée sans l'aura de culpabilité qu'elle semble véhiculer. Entre dire que la souffrance des soignants est une faiblesse et que celle du soignant est normale, il existe toute une gamme de conceptions de la souffrance des soignants.

L'incapacité à reconnaître le point de vue de l'autre repose toujours sur la difficulté à comprendre la différence. Dans bien des situations, le seul fait qu'une personne s'affirme différente des autres, elle est perçue comme une menace. Sur le plan politique, nous le vivons constamment. Déclarer que les Québécois sont différents des autres Canadiens est souvent perçu comme une menace. De même, dans le mouvement féministe, l'affirmation de la différence entre les femmes et les hommes a souvent été prise comme une menace. La différence entre une personne qui avoue souffrir dans sa relation de soins, une qui gère bien sa souffrance, une qui la réprime dans son jardin secret ou, encore, une qui dénie souffrir permet de comprendre pourquoi l'aveu de l'une peut être une menace pour l'autre.

c) La pratique réflexive

Nous voilà ici au cœur des contraintes que la souffrance des soignants impose au dialogue : la difficulté des participants à exprimer leur propre souffrance dans les relations de soins. Parler de la souffrance des soignants, comprendre celle de l'autre, c'est admettre qu'on souffre aussi. Cependant, admettre cela aura des conséquences sur soi. Dire qu'on est souffrant, c'est aussi du même souffle s'engager dans un processus face à cette souffrance.

Mais pourquoi est-ce si difficile de dire qu'on souffre ? Parce que souvent, on ne sait pas comment on va agir une fois qu'on aura reconnu cette souffrance. Pour survivre, les humains ont plusieurs stratégies, dont le déni et l'évitement. Ils peuvent dénier longtemps une situation, même toute leur vie. Certains peuvent ne jamais ouvrir leur boîte de Pandore. D'autres, prenant conscience de leur souffrance, vont plutôt éviter de l'affronter en déplaçant le problème. Ils disent : « J'ai une mauvaise passe présentement » ou, encore, « Cela ira mieux demain ». Il faut bien faire attention de ne pas blâmer ces personnes. Réprimer sa souffrance n'est pas un crime. Nul n'a l'obligation de l'exprimer. Ce qu'il faut plutôt réaliser, c'est que les personnes qui dénient ou qui évitent leur propre souffrance de soignants craignent de ne pas pouvoir y faire face. En effet, cette crainte profonde s'enracine dans le fait qu'elles croient que parler de cette souffrance peut les pousser à parler d'autres souffrances, plus anciennes et devant lesquelles elles se sentent démunies. Les personnes ne sont pas toutes prêtes à réfléchir à leurs souffrances.

Conclusion

La souffrance des soignants ne nous met pas devant le choix d'exprimer ou de réprimer ; il nous met plutôt devant la situation de tension constante qui existe entre exprimer et réprimer. Dans ce court exposé, j'ai voulu présenter quelques facteurs d'aide pour faciliter la compréhension de cette tension.

En premier lieu, j'ai voulu inscrire cette tension dans le contexte du dialogue, un processus particulier de communication par lequel les participants cherchent, avec la mise en commun de leurs paroles singulières, à coconstruire une réponse collective à une question théorique (savoir) ou à une question pratique (action).

Or, nous avons pu voir que le dialogue est exigeant. Les personnes qui y sont invitées ne sont pas nécessairement toutes capables d'en respecter les règles. La première exigence est de se donner un horizon commun de recherche. Déterminer ensemble le but du dialogue pour s'y engager n'est pas aussi simple qu'on ne le croit. Le dialogue requiert la confiance, la capacité de chacun de comprendre le point de vue de l'autre (au moins de travailler pour atteindre cette compréhension), la capacité d'apporter des éléments relatifs à la résolution collective du problème et, enfin, la capacité réflexive qui permet au participant de modifier son point de vue à la suite d'un échange de paroles.

Si ces règles imposent d'importantes limites au dialogue, la souffrance des soignants le rend encore plus difficile à réaliser. Pourquoi ? Tout simplement parce que pour un soignant, dialoguer sur sa souffrance, c'est faire face à soi-même : sa personne, sa vie, sa profession. Est-il étonnant que dans ce contexte, la répression semble une voie plus sage que l'expression ? À mon avis, non.

Afin que l'expression de la souffrance des soignants soit possible dans un dialogue, il faut que les organisations de la santé puissent instaurer des mécanismes pour le favoriser, le soutenir et l'encourager. Il faut des lieux de parole où la confiance existe. Dépasser la répression pour favoriser l'expression n'est donc pas une question propre au soignant, c'est aussi une question professionnelle et institutionnelle. C'est une perpétuelle invitation à tous les acteurs d'entrer en dialogue pour assurer la meilleure qualité de soins possible.